LA SOCIEDAD MADRILEÑA
FIN DE SIGLO Y BAROJA

CARMEN DEL MORAL RUIZ

LA SOCIEDAD MADRILEÑA
FIN DE SIGLO Y BAROJA

Prólogo de
CARLOS BLANCO AGUINAGA

EDICIONES TURNER, S. A.

MADRID

El presente trabajo fue, en su mayor parte, tesis doctoral leída en la Universidad de Madrid en junio de 1972 y realizada bajo la dirección de don Carmelo Viñas y Mey.

© EDICIONES TURNER, S. A.
I. S. B. N.: 84-300-6017-0
Depósito legal: M. 8.072 - 1974
Imprime: IMPRENTA FARESO, Paseo de la Dirección, 3. Madrid-29.

PROLOGO

*Decir cómo era Madrid y, según algunos todavía, cómo de-
bería ser, es referirse a fines del siglo XIX y principios del
nuestro. «Aquel Madrid» se continúa a lo largo de los años 20
y 30 y, salvo la nostalgia termina entre el 36 y el 39 en gesta
que enlaza con 1810 oponiéndose al muy manipulado «vivan
las caenas». Sabemos que Madrid existía antes; pero a pesar de
memoriales famosos, de burlas de poetas al Manzanares, de luchas de la periferia contra «el centro», de fiestas goyescas junto
al río, del espléndido mapa de Teixeira, es una ciudad desdibu-
jada. Desde el principio de la época moderna es continua y clara
la presencia de Londres, París o Barcelona: capital de una sociedad atrasada, burocrática de imperio cuesta abajo, Madrid
tiene que esperar su turno hasta los orígenes tardíos de una
burguesía nacional que en otras ciudades del país compite e
imita, y al borde del Manzanares, al margen de toros, majos y
manolas, sencillamente imita. Los románticos (Larra o T. Gau-
tier) empiezan a encontrarle (o a darle) alguna figura, y con
Mesonero Romanos empieza Madrid a adquirir realidad moderna concreta: trazado de las calles, transportes, edificios, algunas
costumbres. La segunda mital del XIX significa un enorme crecimiento de población: de casi 300.000 habitantes en 1860 a
470 y pico mil en 1887, a 539.835 en 1900. El casco de la ciudad varía poco; aumentan las afueras; se llenan los barrios ba-*

7

jos; crece grandemente la población joven; aumentan la burguesía y la pequeña burguesía, los oficios, el desempleo, la chulería y la peculiar fusión de lo madrileño y lo manchego-andaluz: con Imperio o sin él Madrid adquiere personalidad y presume ya con firmeza de ser sí misma. Es Galdós quien fija la imagen. En su abigarrado mundo es clara la imitación, la dependencia (económica y, por tanto, social y política), pero también lo que a Madrid distingue (lenguaje, estilos de vida popular, lucha de clases todavía un tanto nebulosa). En espléndidas novelas de su tiempo, que claramente se distinguen de otras igualmente espléndidas del resto de Europa, Madrid empieza a ser, a su manera, como otras ciudades de Europa.

Galdós y el género chico. En éste se fija el mito: lucha de clases, sí, pero resuelta en coros en que la gente humilde y castiza triunfa de sus propios celos y se reintegra a sí misma dejando de lado las malas ideas de los señoritos; chulo machismo, pero honradez y un corazón así de grande; precios altos y sueldos bajos, pero dignidad; alegre música que todavía silbamos distraídamente. De Getafe al paraíso (que será la Verbena de la Paloma). Que la misma ideología domine en París o en Londres —son los años de la gran Paz Imperial europea y ha pasado ya algún tiempo desde la masacre de la Comuna—, que la chaquetilla negra, la visera y el pañuelo blanco al cuello se usen también en París o en los pueblos mineros de Inglaterra, y hasta en Buenos Aires, no quita que el chotís sea diferente o que ciertos acordes de un beethovenismo tardío resulten peculiarmente castizos.

Y llega Baroja, aunque vasco, ojo clínico, prosa de lengua hablada y al grano, recoge en su primer libro de cuentos, a más de tipos guipuzcoanos, vidas sombrías madrileñas que no son ya las de Galdós y que se oponen al sentimentalismo y a la castiza alegría de la zarzuela. El cuadro se amplía en las primeras novelas: las dificultades más cotidianas del vivir de panaderos, chulos, prostitutas o soldados de Cuba desahuciados, obreros, pinches, anarquistas, socialistas, republicanos, médicos pobretones y cínicos, trapisondistas de la pequeña burguesía y uno que otro militar o aristócrata. La lucha por la vida culmina —muy pronto— la historia de un Madrid pobre y difícil que Baroja había comenzado ya a observar desde su época de periodista en El

País (y seguramente antes, desde niño). El triunfo será de la zarzuela, desde luego, y la misma «amargura» de Baroja pasará de las calles y tipos bajos de Madrid a preocupaciones más «filosóficas» y a otras aventuras. Pero ahí queda un Madrid sin el cual no se entenderían las luchas de aquellos años en el resto de la península, ni comportamientos madrileños posteriores que remiten, por supuesto, a 1810, pero que tiene su origen concreto en una lucha de clases que no existía cuando la invasión francesa.

El libro de Carmen del Moral nace de su afición a Baroja y a Madrid, y de su interés por la problemática española de fin de siglo. Producto de largas y cuidadosas investigaciones, es obra de admirable concreción. Baroja le lleva a Madrid y la realidad madrileña le confirma ciertas peculiaridades del arte de novelar de Baroja. Este círculo limita el tiempo y el espacio de la investigación: novelas «madrileñas» de Baroja y, por tanto, Madrid del cambio de siglo: justo el Madrid—la época—que ha quedado fijo en la nostalgia. Vamos así de Baroja y de un Madrid íntimamente conocido por la autora, a periódicos del novecientos, a estudios médicos sobre la época, a informes del Ayuntamiento; a los precios del pan o de la vivienda, a las condiciones de los hospitales, al sufrido modo de vida de las gentes modestas y las más pobres. Se nos va reconstruyendo así la realidad—agua verdaderamente potable sólo veintitrés días del año; epidemias de tifoidea—de uno de los momentos más curiosamente mitificados de la Historia de España. Y vuelta a un pasaje de Baroja, en el que ahora sí, ya sin lugar a dudas, se confirma lo que unos y otros habían sospechado: que por lo menos en sus novelas madrileñas Baroja ve con claridad y precisión cómo vivían y morían los más explotados de una sociedad bien estratificada en sus clases.

El historiador encontrará en este libro valiosísima información y análisis concretos. Quizá porque el impulso nació de una obra literaria, Carmen del Moral evita las abstracciones y nos ofrece, en cambio, un cuadro sociológico preciso gracias al cual —más acá de las curvas sobre crisis económicas generales—empezamos a entender cómo era «aquel Madrid» y, por ende, aquella España.

Para el crítico literario la obra de Carmen del Moral es tam-

bién indispensable. ¡Qué difícil le es al crítico dedicado a las literaturas hispánicas encontrar su historia bien estudiada! Pensamos, por ejemplo, en el caso de Noël Salomon, quien para escribir su gran libro sobre la figura del campesino en el teatro de la época de Lope tuvo antes él mismo que hacer de historiador y estudiar directamente la realidad del campo español de los siglos XVI y XVII. ¿Cómo entenderemos el texto literario en su contexto histórico real si éste ha sido olvidado, escamoteado, nunca estudiado? Carmen del Moral intenta nada menos que hablarnos, a una vez, de Baroja y del Madrid real de sus novelas madrileñas. Labor difícil, pero provechosísima para el lector. Así, por ejemplo, cuando describe con acopio de datos, textos de contemporáneos, estadísticas, fotos, las condiciones de vida de las afueras del Madrid de 1900 y califica a sus habitantes de «gente descentrada», ¿cómo no recordar, dentro de la problemática del crecimiento de las ciudades modernas, que en La lucha por la vida, *una y otra vez los personajes de Baroja lo que intentan—topográfica y socialmente hablando—es ocupar el centro de la ciudad? Y página a página de su libro, en la descripción de profesiones y oficios, por ejemplo, encontramos la referencia tipológica exacta de personajes barojianos, o los motivos de base de un quehacer histórico que se reproduce fielmente en la trama literaria.*

Pero el libro, historiadores aparte, no sólo es indispensable para estudiosos de Baroja: en su contexto ha de entenderse gran parte de la obra de los del 98, inclusive, por supuesto, Luces de Bohemia. *(Vale, incluso, para galdosianos: la descripción que hace la autora de unas casas de la calle Mira el Río Alta, ¿no es, concretamente, la del mundo al que un día se asomó Jacinta queriendo, tal vez, ser en algo como Fortunata?) Hace ya muchos años Pedro Salinas trató de describir la educación de «café» de los jóvenes del 98: ¿contra qué trasfondo aquellos cafés tan mitificados? ¿De la ignorancia de qué miseria, de qué luchas, sacó Ortega su idea de que aquéllos fueron años «bobos»? El libro de Carmen del Moral es correctivo hace tiempo necesitado. Por él entendemos mejor a Baroja y algo más de la problemática de fin de siglo.*

Oficios, sueldos, servicios higiénicos, clases sociales, guerra de Cuba, huelgas: mucho aprenderán aquí los historiadores de cómo se vivía en aquel Madrid y en aquella España. Habrá también que cuidarse de no pasar este libro por alto para estudiar nuestra historia de las ideas. Y, desde luego, queda claro que lo que Baroja ve y describe, así era. Sin embargo—y sospecho estar en desacuerdo aquí con la autora—no creo que ello nos permita hablar del «realismo» de Baroja, por flojamente que usemos el término. En otro lugar he tratado de demostrar que lo característico de las novelas «madrileñas» de Baroja, en especial de La lucha por la vida, *es el conflicto entre su realismo descriptivo y el escamoteo ideológico que lleva al novelista a culpar de los males que tan bien observa a incorregibles modos de ser hispánicos, o a la general «estupidez» de la Humanidad. En tal conflicto triunfa siempre con Baroja la ideología pequeña burguesa desde la cual, abusando de inusitados «derechos» de autor, pretende ideologizar a sus lectores. Carmen del Moral ha insistido sobre el «realismo» de Baroja y ha demostrado que, a nivel descriptivo, no podemos ya dudar de su existencia. Gracias a su libro, concreta y viva historia social, la posible polémica a la que apunto tendrá, al fin, firmes puntos de referencia; por ello y por tanto más que su libro ofrece, no queda sino agradecer a Carmen del Moral tan espléndida contribución a nuestro conocimiento.

CARLOS BLANCO-AGUINAGA

INTRODUCCION

Yo no escribo casi nunca pensando en los lectores; pero a veces, sí; pienso en el lector joven de dentro de cincuenta años...

(Pío BAROJA, *O. C.*, VII, 811.)

Quizá sería necesario empezar esta introducción hablando de mi interés por la obra de Pío Baroja. Considero al novelista vasco una de las figuras más importantes de la literatura española contemporánea. En sus libros Baroja lograba transponerme al mundo de sus personajes y dar vida a una realidad muy alejada de la mía propia. Al terminar cualquiera de sus novelas siempre había algo, un nuevo enfoque, una nueva impresión, que iba acercándome poco a poco a un mejor entendimiento de su obra, y especialmente de su tiempo.

Esta impresión se acrecentaba en las novelas de ambiente madrileño. La visión de Baroja se sumaba en este caso a mi propio conocimiento de la ciudad. Fundamentalmente, las novelas en las que el novelista reflejaba el Madrid de su adolescencia y su primera juventud—el Madrid de fines del siglo xix— tenían un poder de evocación y sugerencia que difícilmente encontraba yo en los libros de Historia. Después de leer la trilogía *La lucha por la vida* o *El árbol de la ciencia,* el Madrid finisecular cobraba aliento y me impulsaba a pasear por las Injurias, las Rondas, los Cuatro Caminos, el barrio de Pozas... con el plano en la mano, para comprobar si todo aquello que parecía tan literario correspondía en alguna forma a la realidad.

De este comparar la verdad literaria con el Madrid que conocía fue surgiendo poco a poco la idea de este trabajo. No he pretendido en él teorizar acerca de las relaciones entre novela y realidad; sólo he querido modestamente comprobar hasta dónde el mundo novelístico de don Pío era un útil y verdadero reflejo de un pasado histórico. Por consiguiente, mi empeño ha sido en todo momento verificar si Baroja adulteraba, deformaba o cambiaba la realidad al interpretarla, o si, por el contrario, su retina y su pluma eran capaces de transcribirla con objetividad.

Deseando alcanzar mis objetivos iniciales no fue difícil pasar de la ficción a la realidad teniendo a mano fuentes extraliterarias que podían permitírmelo.

La primera dificultad con la que tropecé fue la amplia cronología de la obra barojiana. Son tantos y tan variados los momentos que el novelista ha reflejado a través de toda su obra, que se impuso desde el primer momento una delimitación del tiempo y el espacio. Decidí constreñirme al Madrid fin de siglo, que es el lugar y épocas plasmado con más riqueza de matices e información en la obra de Baroja. De esta manera quedaban excluidos de mis planes las *Memorias de un hombre de acción* y multitud de novelas que tratan de momentos o lugares distintos.

El fin de siglo, a su vez, presentaba problemas cronológicos, porque dada la ambigüedad del término es muy difícil delimitarlo con exactitud. Teniendo presente que es inútil poner fronteras al devenir histórico, decidí concretarle a los años de la Regencia de María Cristina, que tanto en lo político como en lo social presentan una unidad, y están, por otro lado, muy bien reflejados en la obra barojiana. Con estas delimitaciones previas seleccioné las obras del novelista que más adelante reseñaré.

Quede, así, por tanto, consignado en primer lugar que éste no pretende ser un estudio completo y exhaustivo de la obra literaria de Baroja, sino que está limitado desde un principio a una serie de obras que interesan históricamente por captar el ambiente del Madrid fin de siglo.

En segundo lugar, voy a tratar de explicar cuál ha sido mi método de trabajo. Partiendo de la base de que Baroja en sus novelas refleja la realidad cotidiana, he ido a confrontar esa realidad novelesca con la diaria de la prensa madrileña. Durante varios meses he trabajado en la Hemeroteca Municipal de Madrid en la consulta de diversso periódicos madrileños entre los años 1885-1902.

Después de la prensa he buscado los temas barojianos en estudios y publicaciones de esos años que tratan eruditamente los mismos asuntos que toca el novelista.

A este respecto me ha sido especialmente útil toda la labor realizada en la Biblioteca Municipal de Madrid, donde consulté sobre todo Memorias y publicaciones de funcionarios del Ayuntamiento de Madrid de los servicios de Demografía, Sanidad, Beneficencia, etc., que se refieren a asuntos tratados en mi estudio. Tengo que agradecer a su director, don Enrique Pastor, la amabilidad de haber puesto a mi disposición los fondos de la misma, por el momento cerrados al público. Agradezco a Mercedes Pérez Martín y María Cruz Seseña, archiveras de dicho Centro, la colaboración que en todo momento me prestaron.

He consultado también la información oral y escrita que sobre temas de mi estudio presentaron a la Comisión de Reformas Sociales profesionales y obreros.

Así mismo realicé una visita a don Julio Caro Baroja en su casa de Madrid y en Vera de Bidasoa, con objeto de intercambiar con él ideas sobre su tío, ya que creo que él es el más profundo conocedor del hombre y su obra [1]. En ambas ocasiones la ayuda de don Julio fue muy estimable, y agradezco singularmente la amabilidad de su acogida.

Una vez ordenado el material, he ido cotejándolo con el que me suministraba Baroja, y con todo ello he dividido el estudio en una serie de capítulos agrupados en dos epígrafes generales: uno, la ciudad de Madrid a fines del siglo XIX; otro, grupos marginados y clases trabajadores en la sociedad madrileña finisecular. Ambas partes van precedidas de dos capítulos

---

[1] Cfr. CARO BAROJA, Julio: *Los Baroja,* Madrid, Taurus, 1972, capítulos I-X especialmente.

introductorios, uno sobre el valor documental de la obra barojiana, otro sobre la panorámica general de España de 1885-1902.

Para terminar quisiera advertir que pese a que es casi un lugar común considerar al novelista vasco como una fuente inmejorable para el conocimiento de la España fin de siglo y principios del xx, no conozco ningún otro trabajo sobre él realizado en esta línea, con la excepción del de Soledad Puértolas sobre *El Madrid de «La lucha por la vida»*.

Finalmente, desearía citar a dos buenos amigos y extraordinarios maestros, sin cuya ayuda no hubiera sido posible mi empeño. Mi más sincera gratitud a Francisco Quirós Linares, catedrático de la Universidad de Oviedo, guía y conductor de este trabajo, a quien debo el conocimiento y utilización de fuentes primordiales para su elaboración; y al profesor Carlos Blanco Aguinaga, agudo crítico de temas noventaiochentistas, lector cuidadoso y detallado de este estudio, sin cuyas correcciones y rectificaciones sería incomparablemente peor de lo que es.

VALOR DOCUMENTAL DE LA OBRA BAROJIANA

El valor documental de la novela barojiana es desde hace tiempo uno de esos conceptos que se repiten en conferencias, conversaciones, artículos periodísticos [1], etc. Ya hemos dicho que se trata de un lugar común de la crítica o el comentario sobre Baroja que no ha sido sometido a análisis riguroso.

En este trabajo aceptamos el lugar común como hipótesis de trabajo y ponemos la hipótesis a prueba con una lectura detenida y cuidadosa de Baroja, de la documentación de la época, de la consulta de los medios informativos—especialmente la Prensa—y de la confrontación de los hechos históricos con la reali-

---

[1] Un ejemplo bastante típico de este socorrido lugar común podría ser el artículo aparecido en *Blanco y Negro*, 1 de noviembre de 1969, páginas 35-130, sobre «España 1891». Dicho artículo, firmado por C. Luca de Tena, hace referencia en varias ocasiones a Pío Baroja, por ser, según dice, «un impagable guía para este paseo por un tiempo pasado». En esto estamos de acuerdo con Luca de Tena, aunque, a pesar de la contribución barojiana, sus comentarios no superen el superficial relato de hechos históricos y cualquier grabado de los que acompañan al texto diga más sobre España y Madrid en 1891 que su crónica huera y tópica.
En una conferencia pronunciada en la Universidad de Zaragoza también don Manuel Díez-Alegría resaltó la importancia de las novelas históricas de Baroja como testimonio de la sociedad de la época: Manuel Díez-Alegría: *La novela histórica como fuente para el estudio de una sociología militar decimonónica*. Una introducción. Conferencia inaugural del XVIII curso de la cátedra «General Palafox» de la Universidad de Zaragoza, Madrid, 1971.

dad recreada por Baroja. Sólo así sabremos hasta qué punto Baroja es fiel a la realidad histórica de Madrid.

La temática barojiana es muy amplia. Desde que en 1900 Baroja publica su primera obra, *Vidas sombrías,* hasta sus últimas publicaciones, son cincuenta y seis años dedicados a la literatura, tratando en sus novelas, ensayos y artículos los más variados temas. De toda su obra nosotros sólo vamos a tener en cuenta para nuestro trabajo la que hace referencia al Madrid de finales del siglo xix y primeros años del xx. Es decir, sólo vamos a utilizar como documentación y textos todo lo contenido en las obras barojianas sobre Madrid entre los años 1885-1902.

Las obras barojianas que nosotros hemos utilizado para este trabajo, que transcurren gran parte en Madrid en estos años, y que tienen como telón la ciudad y como protagonistas a la sociedad madrileña de la época son las siguientes, por orden de publicación:

— *Vidas sombrías.*
— *Aventuras, inventos y mixtificaciones de Silvestre Paradox.*
— *Camino de perfección.*
— *La busca.*
— *Mala hierba.*
— *Aurora roja.*
— *El tablado de Arlequín.*
— *César o nada.*
— *El árbol de la ciencia.*
— *Juventud, egolatría.*
— *La sensualidad pervertida.*
— *Las noches del Buen Retiro.*
— *Vitrina pintoresca.*
— *La formación psicológica de un escritor.*
— *Canciones del suburbio.*
— *El escritor según él y según los críticos.*
— *Familia, infancia y juventud.*
— *Final del siglo XIX y principios del XX.*
— *Galería de tipos de la época.*
— *Reportajes.*

En todas estas obras, publicadas en diferentes momentos, aparece el Madrid del 900 como fondo, como comentario o como escenario de una serie de personajes ficticios. Estas fechas comprenden toda la Regencia de María Cristina. El testimonio de nuestro autor es más detallado en lo que se refiere a estos años de la Regencia que a los posteriores. Esto es explicabble teniendo en cuenta que en 1886 se instala la familia Baroja por segunda vez en Madrid. La primera había sido sido de 1879 a 1881. Esta vuelta a Madrid se realiza cuando Pío Baroja es ya un adolescente de catorce años que cursa el último año del Bachillerato. Los hechos que suceden a su alrededor tienen ya una categoría y una presencia real que el autor no olvidará a lo largo de toda su obra:

> «Recuerdo haber vuelto a Madrid—dice—en el verano en que se estrenó *La Gran Vía*. Para muchos madrileños del tiempo, esta época debió de ser un hito de su existencia. Los chicos en el Instituto de San Isidro, donde yo estudié el último año del Bachillerato, cantaban la jota de los Ratas y la canción de la Meneguilda en los claustros del viejo colegio de los jesuitas» [2].

Sus primeros recuerdos de Madrid evocan una ciudad donde todo el mundo parece absorbido por un estreno musical, donde las Rondas y los alrededores del Rastro son campo propicio para su mirada curiosa y donde el hecho alegre, como en un borrón impresionista, se entremezcla con las notas dramáticas de la ejecución de los acusados del crimen de la Guindalera.

A partir de ese momento Madrid entrará en don Pío y don Pío en Madrid. Las sucesivas estancias en Valencia, Cestona, y los diversos viajes por el extranjero (París, Tánger, Londres, Italia, Suiza) así como sus estancias en Vera de Bidasoa tendrán siempre una parada obligada en Madrid. Será testigo presencial de la evolución de la ciudad a lo largo de todos esos años, hasta su muerte en la misma el 30 de octubre de 1956.

---

[2] Pío BAROJA: *La formación psicológica de un escritor* (Discurso de ingreso en la Academia Española), Madrid, Obras Completas, Biblioteca Nueva, 1948, V, 877, Madrid. En adelante nos referiremos a esta edición abreviadamente con las siglas O. C., seguidas del volumen en números romanos y la página correspondiente.

De todos estos años quedará en las obras anteriormente citadas un recuerdo completo, difuso o abocetado, según sea el distanciamiento o la aproximación que el escritor haya tenido con los hechos, con los sucesos, con el ambiente. Son años decisivos en la vida del joven Baroja: primero, la Facultad de Medicina, después la experiencia de pequeño industrial con la panadería de su tía doña Juana Nessi, más tarde la colaboración en varios periódicos madrileños y, finalmente, la vida de escritor, plenamente dedicado a su tarea.

Juicio de Baroja sobre el valor documental de su obra

Baroja mismo declara que los hechos que se desarrollaban a su alrededor servirían de telón de fondo a su obra:

> «Nada menos literario que esta obra—escribe en el prólogo de una de sus novelas Luis Murguía—; indudablemente no era un literato, ni siquiera un *dilettante* de la literatura, sino un curioso, un aficionado a la psicología y un crítico de una sociedad vieja, arcaica y rutinaria. Su libro, bastante paradójico, *pretende ser un documento y dar una impresión exacta de la sociedad española de finales del siglo XIX y principios del XX,* sociedad regida todavía por el capitalismo, el militarismo y la teocracia, y que sucumbió por completo en la revolución de 1918» [3].

Reflejar un ambiente histórico, plasmarlo en toda su dinámica y realidad, va a ser una preocupación esencial del Baroja novelista. De ahí ese sentido de fluir permanente que tienen sus novelas, esa galería continua de personajes diversos que entran, salen, desaparecen antes que casi hayamos podido retener sus nombres y los reencontremos nuevamente al final de la obra, o en otra novela que para nada tiene que ver con la anterior. Captar el ambiente, el medio social, desde fuera, a distancia, como con una cámara fotográfica, será continuo ejercicio del escritor. El mismo confiesa que ha sido a lo largo de su obra uno de sus cuidados esenciales: «Nosotros (se refiere este nosotros a es-

---

[3] *La sensualidad pervertida,* O. C., II, 845. El subrayado de los textos citados es de la autora de este trabajo.

critor como Huxley, S. Maugham, Hemingway, Dos Passos) no buscamos el delinear la figura, grande y destacada, con una línea fuerte que la separa del medio en que vive, sino que queremos hacerla vivir en su ambiente» [4].

Baroja creía que las cosas que sucedían le suministraban una materia novelable de primera categoría, e intenta hacer con sus obras algo que está cerca del reportaje histórico-social. Por eso dice que «...es muy lógico que un hombre que sienta así tenga que tomar sus asuntos no de la Biblia, ni de los romanceros, ni de las leyendas, sino de los sucesos del día, de lo que ve, de lo que dicen los periódicos. El que lea mis libros y esté enterado de la vida española actual notará que casi todos los acontecimientos importantes de hace quince o veinte años a esta parte aparecen en mis novelas» [5].

Los datos que le proporciona la realidad histórica cotidiana va a tratar Baroja de reflejarlos con toda objetividad. El rigor en las citas y descripciones será otra de las características del relato barojiano. Es decir, si maneja datos tratará de recogerlos con la mayor precisión, sin deformaciones, sin errores, con toda fidelidad. «Para mí—declara—la condición primera del escritor es la exactitud. La medida exacta en lo que es medible, hasta en lo que es fantasía» [6].

Baroja mismo, pues, pensaba—y es nuestra hipótesis de trabajo—que su intuición ante las cosas, los problemas, las personas, su capacidad para integrarlas y darles expresión literaria en un todo completo y unitario podían conceder a una obra valor de documento fundamental para el conocimiento de una época. Este supuesto valor documental de la literatura es algo que se planteó el autor a nivel teórico y sobre lo que conocemos su opinión personal: «Los escritores suponen que conocen un país si conocen su literatura; los políticos tienden a enterarse de las condiciones de un pueblo por la Historia, y ¡por qué Historia! Ninguno de los dos sistemas es exacto, pero está más cerca de la realidad la tendencia de los escritores que la de los políticos.»

---

[4] *El escritor según él y según los críticos,* O. C., VII, 437.
[5] *La dama errante,* O. C., II, 231.
[6] *Galería de tipos de la época,* O. C., VII, 811.

¿Qué historiador francés del siglo XIX da una impresión más sintética de la época que Stendhal? Ninguno.

Cuando se lee el *Quijote* no se tiene presente lo que es objetivo del país, es decir, la política, lo externo e imitado de aquí y de allá; lo que se ve es el pueblo, con su paisaje interior y exterior. Más en pequeño ocurre lo mismo con los artículos costumbristas de Larra. Si había guerra o no había guerra en el tiempo, no importa gran cosa, si mandaban Toreno o Mendizábal, tampoco; lo que se advierte en estos artículos es la continuidad del país; lo pasajero, lo del momento, se ha evaporado» [7].

Consciente del posible valor testimonial de la literatura, consciente de esa faceta de su obra, Baroja define así—en esa insistente manía suya de crítica y autoanálisis—su obra literaria: «Suponiendo que en mi obra literaria hay algo de valor... voy a decir, con el mínimo de modestia, cuál puede ser, a mi modo, el valor o mérito de mis libros.

Este valor creo que no es precisamente literario ni filosófico; es más bien psicológico y documental» [8].

Juicio de sociólogos e historiadores

Como hemos anticipado al principio de este capítulo, el valor documental, histórico y testimonial de Baroja, ha sido resaltado por quienes se han ocupado de su obra. Críticos muy diferentes, venidos de distintos campos, de distintas edades, unos contemporáneos del novelista, otros posteriores.

Azorín, por ejemplo, en un artículo publicado en 1900 alude al valor documental de la obra de Baroja de manera hipotética, interrogativa, como percibiendo el hecho pero sin atreverse a afirmarlo por no ser sólo ese carácter el más destacable del entonces recién estrenado autor. Dice así: «Tengo un singular y peregrino amigo. ¿Es un misántropo? ¿Es un escéptico? ¿Es un *cronista*, por paradoja, finamente piadoso?» [9].

---

[7] *Artículos:* «La literatura y la Historia», O. C., V, 1100-101.
[8] *La dama errante,* O. C., II, 229.
[9] *La Correspondencia de España,* 20 de diciembre de 1900. (Artículo recogido por F. BAEZA: «Baroja y su mundo», Madrid, 1962, O. C., II, páginas 13-14.)

Según Baroja, también Manuel Bueno, novelista y crítico de arte contemporáneo suyo, a quien no parecía tener demasiada simpatía nuestro autor, pensaba que sus libros eran obras interesantes que reflejaban el espíritu de la época. He aquí cómo cuenta don Pío en sus *Memorias* su conversación con Bueno en un tren donde ambos viajaban con dirección a París:

...«Me dijo que creía que lo más interesante que se hacía en España por el momento eran mis libros.

—¿Cree usted?

—Sí, así lo creo.

—Pero ¿lo dice usted en serio o en broma?

—Lo digo en serio, lo que no es obstáculo para que piense que no son verdaderas obras de arte, aunque pudieran haberlo sido.

—Es posible que yo crea lo mismo.

—Pero aún así, pienso que con el tiempo quedarán los libros de usted como lo más típico de la época actual» [10].

Otro autor, Bonilla y San Martín, opina así sobre *La lucha por la vida*: «La trilogía de Baroja es algo más que una mera obra de pasatiempo; es sencillamente el estudio de sociología descriptiva más interesante que en España se ha escrito desde los tiempos de nuestra novela picaresca. Doña Casiana, sus huéspedes, el señor Custodio, don Alonso, Mingote, La Coronela y demás personajes de esta obra, son tipos eminentemente reales y que podría muy bien señalar en Madrid cualquiera que conociese, como Baroja, el medio en que la acción de la novela se desarrolla» [11].

La obra barojiana contenía en sí misma datos y observaciones sociológicas valiosas sobre Madrid que supo resaltar con claridad Bernaldo de Quirós al escribir su magnífico estudio sobre *La mala vida en Madrid* [12]. Quirós cita en su obra repe-

---

[10] *El escritor según él y según los críticos*, O. C., VII, 464.

[11] A. BONILLA Y SAN MARTÍN: *Crónica Contemporánea*, 1904. (El artículo está recogido por F. BAEZA, *op. cit.*, II, 31.)

[12] BERNALDO DE QUIRÓS Y LLANAS AGUILANIEDO: *La mala vida en Madrid*, Madrid, 1901. La relación que hay entre este estudio sociológico y las descripciones de nuestro autor se manifiesta en que uno de los ilustradores de la obra es Ricardo Baroja, hermano del novelista, gran pintor y el mejor ilustrador, en nuestra opinión, de las obras barojianas. Cfr. las reproducciones de dibujos de Ricardo Baroja en las figuras 7.ª, página 96; 33, pág. 251, y 48, pág. 338 de la obra. Como podrá verse,

tidas veces el ensayo barojiano sobre *Patología del golfo,* y, aparte de esta obra, es evidente la relación sociológico-literaria que hay entre los lugares y gentes que describe en su estudio y los escenarios y protagonistas de algunas novelas barojianas. Trataremos de examinar esta estrecha conexión en capítulos posteriores, pero de momento, anticipamos que las descripciones de Baroja de los golfos madrileños, de sus formas de vida, así como de las de las casas de vecindad de los barrios bajos, las Injurias, la Casa del Cabrero o las viviendas trogloditas de la Montaña del Príncipe Pío, son como ilustraciones vivas, llenas de fuerza, de verdad, de la obra científica de Quirós y Llamas.

El hecho de que Baroja fuera convirtiéndose poco a poco en un lucido cronista de la vida madrileña tampoco escapó a la mirada de otro autor de temas madrileños: Gómez de la Serna. Si bien nada tiene que ver la visión literaria y surrealista de Gómez de la Serna con la del Madrid de nuestro autor, aquél supo reconocer que Pío Baroja había creado «una obra carbonera, densa, áspera, tanteada, que sería la crónica somera, escueta, desganada, pero casi única del Madrid de principios de siglo».

Y añade—dejando entrever la inspiración directa de la realidad que tuvo el novelista—: «Las novelas de bajos fondos como *La busca...* son las novelas de Baroja que representan sus paseos nocturnos por las calles, sus visitas atribuladas, su darse cuenta de lo que había de calvario humano y de pecado pobre y conmovedor en el Madrid simpático» [13].

Si el valor de reflejo y síntesis de una época le ha sido concedido a Baroja por escritores, críticos y sociólogos, también le ha sido reconocido por historiadores. Carr [14], en su historia de la España contemporánea, menciona a Baroja repetidas veces como testimonio de un hecho histórico. El historiador inglés en sus citas del novelista alude a aspectos sociales que Baroja

---

entre la taberna de mala vida dibujada por Ricardo, estudiada por Quirós y Llanas y descrita por Baroja hay una estrecha conexión, así como entre la mancebía o el refugio de mendigos, asuntos de las tres ilustraciones de Ricardo.

[13] R. GÓMEZ DE LA SERNA: *Retratos Contemporáneos,* Buenos Aires, 1941. (Recogido por F. BAEZA, O. C., II, 240.)

[14] R. CARR: *España 1808-1939,* Ariel, Barcelona, 1969. (Citas de Baroja en las págs. 172, 480, 450, 510 y 516 en las notas a pie de página números 28, 23, 26, 97, 7 y 25, respectivamente.)

refleja en sus obras literarias, por ejemplo, la situación de la clase proletaria en Madrid a fines del xix o el panorama general de la Universidad española por los mismos años. Hablando de los grupos sociales marginados que surgen en las ciudades como consecuencia de la emigración campesina y se transforman en una clase pobre—que nada tiene que ver con los antiguos pobres urbanos—, que vive en chozas a la entrada de las ciudades y carece de toda atención por parte del Estado, dice en una nota a pie de página que «hay descripciones excelentes de ese mundo digno de Dickens de los pobres de Madrid en las novelas de Galdós y en *Aurora roja,* de Pío Baroja» [15].

Son, pues, varios los lectores importantes que han visto la dimensión histórica de la obra barojiana, aunque en muchos de ellos—en la mayoría—no fue más que una intuición manifestada públicamente, pero no estudiada a fondo en toda su problemática. Por eso éste será el tema de nuestro trabajo, porque pensamos con Marañón «que como en su tiempo hicieron los novelistas de la picaresca más historia de España que los historiadores oficiales, *así Baroja deja en sus libros una documentación más exacta y fundamental de la España de nuestro tiempo,* o, al menos, de un aspecto de nuestra España, que la que se consigna en el *Diario de las Cortes,* o en los artículos de fondo de los periódicos y en las crónicas altisonantes de la vida política y social» [16].

---

[15] O. C., pág. 423, nota 23.
[16] G. Marañón: *Contestación al discurso de ingreso de don Pío Baroja en la Academia Española,* 12 de mayo de 1935. (Recogido por F. Baeza, O. C., II, 214.) Es curioso observar cómo Marañón relaciona a Baroja con la novela picaresca. Antes vimos hacerlo a Bonilla y no es el único, es—casi podríamos decir—otro lugar común de la crítica barojiana. A nosotros nos interesa especialmente esta coincidencia por ser la picaresca española una fuente estimadísima por historiadores y estudiosos para el conocimiento del Siglo de Oro español. Cfr. al respecto, por ser interesante dentro del planteamiento de una sociología de la literatura, el estudio de Charles Aubrun: «La miseria en España en los siglos xvi y xvii y la novela picaresca», así como las respuestas a él formuladas por Sanguineti, Escarpit, Goldmann y Brunn en el primer Coloquio Internacional de Literatura celebrado en París en mayo de 1964. Recogido en *Literatura y Sociedad,* Barcelona, Ediciones Martínez Roca, 1969, págs. 143-58.

ESPAÑA 1885-1902

POBLACIÓN Y SOCIEDAD.—CRISIS CAMPESINA.—
CRISIS INDUSTRIAL

En la dinámica histórica española los años de la Regencia
(1885-1902) representan una unidad: son continuidad, por un
lado, del sistema de la Restauración emprendida por Cánovas y
por otro marcan el comienzo de la ruptura del sistema, configu-
rado en lo político por el resquebrajamiento de la Monarquía
parlamentaria, y en lo social—que es el aspecto que nosotros
vamos a estudiar—por la crisis que culminará en los sucesos
de 1909.

Nos proponemos en este capítulo dar una visión general y
sintética de cómo era España en estos años. No vamos a tener
en cuenta para ello ninguno de los hechos característicos de la
típica historia externa: ni debates de las Cortes, ni caída y subida de ministerios, ni leyes y decretos van a interesarnos. Este
aspecto de la Historia española contemporánea creemos que no
contribuye a aclarar los hechos oscuros de nuestra problemática
histórica, sino que, por el contrario, añade tal desorden, que a
juzgar a simple vista por ellos, el siglo XIX y los primeros años
del XX son lo que se proponen nuestros peores manuales históricos: una sucesión ininterrumpida de ministerios, partidos y
ministros. Nada más deformador que esta idea, pues la Historia
contemporánea de España es de una coherencia absoluta, y si
no se buscan las raíces de esa coherencia, quedarse en el plano
exterior es contribuir deliberadamente al desorden mental.

Vamos a intentar, por tanto, trazar una relación de los hechos con toda objetividad, pero sólo de los hechos que de una u otra manera se relacionan con los aspectos sociales de nuestra historia, que son los que nos interesan y los que a su vez son más ampliamente reflejados por Baroja. Para seleccionarlos nos hemos valido fundamentalmente de la prensa madrileña. Queremos destacar que aunque nuestro estudio se concrete a Madrid, se puede considerar que la problemática social de Madrid como la capital de un país de 18.600.000 habitantes en 1900, representa la síntesis, o, al menos, la anticipación de esa misma problemática a escala nacional.

Al observar los periódicos manejados se notará quizá la abundancia de algunos y la ausencia de otros. Trataremos de explicarnos. Después de consultar la prensa periódica más importante que se publicaba en Madrid entre los años 1885-1902 hemos llegado a una selección. Partiendo de la base de que casi todos los periódicos eran portavoces de ideologías políticas determinadas, a la hora de seleccionar opiniones hemos tenido en cuenta sobre todo la mayor o menor cantidad de material informativo que suministran, dejando a un lado su matiz político. En realidad, esa parcialidad, pasada hoy su eficacia dialéctica, es fácil de descubrir y no tan fácil dejarse embaucar por ella. Por eso sucede que periódicos como *El Socialista,* donde a cada momento el menor motivo social puede ser pretexto para una bien montada campaña política, sea mucho más válido para el historiador social—por su abundante documentación sobre este aspecto—que cualquier otro diario de mejor calidad periodística o al menos mayor prestigio en su época. Por otro lado, en todo rigor hemos de señalar que la tendenciosidad política es característica de toda la prensa madrileña de esa época, tanto de la de derechas como de la de izquierdas, y que si a veces pueden parecernos extraordinariamente demagógicos los editoriales de primera plana de *El Socialista*—por poner un ejemplo, el más a la mano, puesto que la prensa anarquista de estos años es de difícil consulta en la Hemeroteca Municipal de Madrid por no existir apenas ejemplares de ella—no lo son menos los ataques de la prensa liberal y conservadora[1].

---

[1] Pongamos como ejemplo las versiones que de un mitin socialista hemos encontrado en *La Correspondencia de España*. Se resaltan aspec-

En resumen, vamos a servirnos fundamentalmente de la prensa madrileña en la exposición de unos hechos que creemos que poco manejados y difundidos constituyen un reflejo bastante fiel de lo que era España en aquellos años, años por los que vamos a ver discurrir a los personajes barojianos y de donde vamos luego a estudiar los aspectos sociales más destacados en Madrid.

Población y Sociedad

La población española de la Restauración oscila entre los 16.500.000 y los 19.000.000 de habitantes. Las cifras de los distintos censos son las siguientes:

Años	Población
1860	15.645.000
1877	16.622.000
1887	17.534.000
1897	18.066.000
1900	18.594.000
1910	19.927.000 [2]

Esta población se reparte, de manera desigual, en varios grupos sociales, de los cuales el que a nosotros nos interesa es el que podríamos llamar con el nombre genérico de clases populares o clases trabajadoras por ser precisamente de ahí de donde Baroja extrae el grueso de sus personajes, en las novelas que nos interesan. En este grupo vamos a englobar tanto al proletario urbano y rural como al subproletariado, ya que Baroja también se ocupa ampliamente de este último en algunas de sus novelas.

Nos interesa este grupo social, porque creemos que todavía

tos pintorescos, diríamos hasta folklóricos, tratando de ridiculizar a los asistentes al acto.

Así, dice: «En medio del discurso se levantaron varias voces diciendo: 'Silencio, *haiga* silencio.' Otra voz: 'Eso, sentimiento *prático...*' Algunos espectadores muestran su entusiasmo dando con los pies sobre el pavimento.» *La Correspondencia de España*, 16 de julio de 1895.

[2] UBIETO, REGLÁ, JOVER: *Introducción a la Historia de España*, Barcelona, 1963, pág. 596.

no está hecha su historia completa en España, a pesar de los estudios al respecto[3], y porque en este momento que nos ocupa entra en la historia como una nueva fuerza política. Quizá uno de los mayores méritos de don Pío como novelista y cronista de una época sea el de haberse dado cuenta de la importancia que en la vida de España iban a tener esas nuevas fuerzas sociales y haberlo reflejado en su literatura. Su interés por esa clase—que en el vocabulario burgués de la época es llamada frecuentemente «clase menesterosa»—es casi único entre sus contemporáneos de la generación del 98, hasta haber sido quizá Baroja con *Aurora roja* el primer autor de una gran novela de obreros y, por tanto, de una novela política[4]. Su sensibilidad para los males y humillaciones que aquejaban a los oprimidos llevaron a la crítica a comparar a Baroja desde sus primeras publicaciones con Gorki, al que él admiraba y con el que sin duda —salvadas las distancias—le unía una misma receptividad ante los problemas de las clases desheredadas[5].

¿Cuál es la situación de estas clases trabajadoras en la España de fin de siglo? Viven de la industria en las grandes ciudades, donde trabajan como obreros especializados, la minoría, y como mano de obra barata la mayoría. En los pueblos trabajan en el campo como asalariados, braceros temporales, o son

---

[3] Son numerosos los estudios sobre el movimiento obrero español en particular. Pero no hay tanta bibliografía sobre la vida de las clases trabajadoras.
Existe por el momento un estudio valioso: FERNANDA ROMÉU: *Las clases trabajadoras en España (1898-1930)*, Madrid, Taurus, 1970.

[4] En el teatro ya lo había hecho antes Dicenta con *Juan José*, estrenada en el año 1898, donde por primera vez sale a escena la clase oprimida como protagonista. Cfr. F. GARCÍA PAVÓN: *El teatro social en España*, Madrid, Taurus, 1962. El Baroja autor de una de las primeras novelas políticas españolas lo ha estudiado y resaltado CARLOS BLANCO AGUINAGA: *Juventud del 98*, Madrid, Siglo veintiuno de España, 1970, páginas 229-90.

[5] Baroja rechazó la comparación con Gorki, a pesar de admirarle, como demuestra un artículo escrito sobre él en *El tablado de Arlequín*, O. C., V, 37. La crítica insistió demasiado en su parecido con el escritor ruso, llegando a acusarle de imitador, acusación de la que él se defiende con una gran lógica en *El escritor según él y según los críticos*, O. C., VII, 425. Hoy parece que esta influencia gorkiana sobre Baroja está ya rechazada a partir de la tesis doctoral presentada por la señora Hildegard Moral en la Universidad de Hamburgo comparando a ambos escritores. Así lo expresa JULIO CARO BAROJA en su «Prólogo» a Pío Baroja, *Cuentos*, Madrid, Alianza Editorial, 1969, 3.ª ed.

pequeños propietarios que a consecuencia de las sucesivas crisis agrícolas pasan a engrosar las filas del proletariado rural.

Como señala Vicéns Vives [6] en los años 70 y 80 del pasado siglo el poder adquisitivo de los agricultores españoles aumentó a consecuencia de la filoxera de los viñedos franceses, que permitió a España exportar grandes cantidades de vino a Francia, pero a partir de 1885-1886 este apogeo cesó y los precios descendieron a la mitad en algunas zonas. La depresión se aceleró tanto en la industria como en la agricultura, los empresarios industriales empezaron a dejar de pagar dividendos y a despedir trabajadores; en el campo los jornaleros se encontraron sin trabajo y sin recursos. El problema se agudizó con la crisis de la Bolsa en 1898 y se pensó en el proteccionismo como la única medida salvadora por parte de propietarios y empresarios. De esta situación no se saldrá hasta principios de siglo.

Vamos a ver las manifestaciones más importantes de la crisis desde un punto de vista social: es decir, su repercusión en la vida de los asalariados del campo y de las ciudades.

Crisis campesina

Las noticias que a partir del año 1885 nos suministra la Prensa son bastante elocuentes y a medida que pasan los años van haciéndose más insistentes.

Los campesinos, débilmente organizados todavía políticamente, expresan su descontento en una serie de manifestaciones de tipo primario en las que el objetivo fundamental parece ser dar rienda suelta a su malestar y apoderarse del pan o de los elementos de subsistencia de los que carecen por falta de recursos. Los motines de los que nos informa la Prensa tienen por tanto un carácter «arcaico» [7] y no parecen plantearse por el momento ninguna toma de conciencia política: son un poder destructivo que en muchos casos apunta contra las mismas cosas que desea y que ve con toda claridad como enemigos omnipresentes a los acaparadores de grano y a los dueños de las fábricas de harina.

---

[6] VICÉNS VIVES: *Historia económica de España,* Barcelona, 1959, páginas 671 y sgs.
[7] Utilizo aquí la palabra arcaico en el sentido que Hobsbawm da al término: Cfr. ERIC J. HOBSBAWM: *Rebeldes primitivos,* Barcelona, Ariel, 1968.

Las manifestaciones son pacíficas y los hechos ponen de manifiesto a qué se debe el descontento de los manifestantes. Veamos:

«*Cádiz:* La crisis obrera se agrava en Arcos. Se han repetido los hurtos de pan. Los obreros hambrientos se apoderaron de un becerro y se lo comieron» [8].

«*Castellón:* Desde mediados de octubre apenas ha cesado de llover. A consecuencia de esto no ha sido posible trabajar en el campo. El exceso de riegos ha perjudicado notablemente a la agricultura y con especialidad a la cosecha de naranja. Grupos de jornaleros van de casa en casa pidiendo que se les dé algo con que saciar el hambre» [9].

«*Murcia:* Multitud de huertanos vienen pidiendo ropas y víveres» [10].

«*Palma:* Un grupo formado por unos 60 obreros sin trabajo recorre pacíficamente las calles: detiénense ante las tahonas y piden pan a los tahoneros que acceden caritativamente a la petición de los pobres trabajadores» [11].

«*Talavera:* Parece que a consecuencia de la subida del precio del pan se amotinó la gente del pueblo al ver que se iban a sacar de la población unos carros de trigo que se decía habían comprado unos forasteros» [12].

«*Salamanca:* Hoy se ha celebrado una imponente manifestación en esta capital. Más de 3.000 obreros han recorrido las calles precedidos de banderas en que se leían los lemas «pan», «trabajo» y otros parecidos.

Los manifestantes empezaron por hacer cerrar todas las tiendas, sin exceptuar las de comestibles y las farmacias.

Se dirigieron al Gobierno, donde una comisión se presentó al gobernador... Después al Ayuntamiento... Luego al palacio episcopal.

---

[8] *El Imparcial,* 17 de enero de 1898.
[9] *El Imparcial,* 17 de enero de 1898.
[10] *El Imparcial,* 19 de enero de 1898.
[11] *El Imparcial,* 14 de abril de 1898.
[12] *El Imparcial,* 4 de mayo de 1898.

Antes de la una de la tarde quedó disuelta la manifestación; pero un grupo de unos 70 obreros se dirigió a la estación del ferrocarril, donde estaba preparada una expedición de trigo.

Allí penetraron tumultuosamente en los muelles y arrojándose sobre los vagones echaron los sacos al suelo, acuchillándolos y derramando el grano» [13].

Las manifestaciones llegan a generalizarse y a hacer mella en las mujeres que salen a la calle reclamando trabajo y derecho a subsistir:

«*Salamanca:* Acaba de terminar una manifestación en la cual iban 500 mujeres llevando banderas con lemas que decían: No hay pan y hay hambre, queremos trabajo» [14].

«*Segovia:* Quinientas mujeres han recorrido esta tarde las principales calles de la población pidiendo la baja del precio del pan» [15].

«*Rioseco:* Muchas mujeres hicieron hoy por la mañana una manifestación pacífica para protestar del excesivo precio del trigo.

Han recorrido las calles llevando una bandera con el lema: Caridad. Pan barato y trabajo a los jornaleros» [16].

En casi todas las provincias españolas llega un momento en que las manifestaciones se hacen generales. A lo largo del mes de mayo de 1898 hubo manifestaciones por cuestión del precio del pan y de la escasez de las subsistencias en casi todos los puntos de la España rural: Cádiz, León, Valdepeñas, Santa Cruz de Tenerife, Cáceres, Soria, Ciudad Real, Talavera de la Reina [17], etcétera.

---

[13] *El Imparcial,* 26 de febrero de 1898.

[14] *El Imparcial,* 19 de febrero de 1898.

[15] *El Imparcial,* 21 de febrero de 1898.

[16] *El Imparcial,* 21 de febrero de 1898.

[17] Cfr. los números de *El Imparcial* del 6, 7, 8 y 10 de mayo de 1898, donde hay una lista detallada de todos los núcleos geográficos afectados por los motines. Los sucesos de mayo de 1898 en Talavera de la Reina están descritos en FARINÓS DELHOU, Fulgencio: *Mayo de 1898. Apuntes sobre los sucesos ocurridos en Talavera de la Reina en los días 2 y 3 del expresado mes. Escrito por D. ———, licenciado en Medicina y Cirugía, concejal del Ilustre Ayuntamiento Constitucional de esta ciudad* (Talavera de la Reina), Imp. y Encuadernación de L. Rubalcaba, 1898, 60 págs.

Los de Almodóvar del Campo en AGOSTINI BANÚS, E.: *Historia de la muy afable, muy leal y muy antigua ciudad de Almodóvar del Campo,* Almodóvar del Campo, 1926.

Ante esta situación, que la Prensa se atreve a calificar como de estado de guerra en toda la Península, ¿qué hacen los ayuntamientos, qué hace el Gobierno?

Los ayuntamientos salen al paso del problema con soluciones que llamaríamos de circunstancias. Ante la imposibilidad o la impotencia para paliar el problema ponen «paños calientes». El recurso más usado es el de abrir obras públicas para colocar en ellas como jornaleros a todas esas masas de trabajadores parados:

«*Avila:* La manifestación de las clases trabajadoras pidiendo rebaja en el precio del pan y ocupación para los obreros se ha verificado hoy.

... Pasó la manifestación a la Casa Municipal, donde el alcalde, señor Crespo, ofreció a los obreros que dentro de un mes tendrían todos ellos ocupación y que desde mañana se daría trabajo a unos cuantos con cargo al presupuesto municipal»[18].

«*Jerez:* Se restableció la calma. El Ayuntamiento ha comenzado obras de embellecimiento y urbanización al objeto de dar ocupación a los braceros»[19].

«*Valladolid:* La crisis obrera se agrava por momentos. Hoy, un grupo de unos 300 obreros se presentó en el Ayuntamiento pidiendo trabajo. ... El alcalde logró sofocar el alboroto, llevándose a los obreros al Ayuntamiento donde los inscribió para darles trabajo en la próxima semana»[20].

Los ayuntamientos no tenían facultades ni medios para solucionar el problema. Después de unas semanas de actividad se acababan los fondos y el problema volvía a ponerse en pie, con lo cual los conflictos a medida que los años van sucediéndose van tomando cada vez un matiz más agrio y van conduciendo espontáneamente a las víctimas a una toma de conciencia social que acabará en muchos casos—con una propaganda bien dirigida—en una politización activa.

Es decir, el problema es muy parecido en sus características y planteamiento al que Nicolás Sánchez Albornoz[21] ha estudia-

---

[18] *El Imparcial,* 3 de marzo de 1898.
[19] *El Globo,* 23 de enero de 1898.
[20] *El País,* 13 de febrero de 1900.
[21] NICOLÁS SÁNCHEZ ALBORNOZ: *España hace un siglo: una economía dual,* Barcelona, 1966. Cfr. especialmente: *La crisis de subsistencias de 1857,* págs. 57-118.

do en su magnífico trabajo sobre la crisis de subsistencias de 1857. Sería muy interesante examinar detenidamente las crisis de estos años y relacionar, como él hace, los factores económicos con los políticos y sociales. Es posible que éstas sean un problema de «volumen de producción, pero también de existencias, de comercialización y, finalmente, de especulación», y que con estos factores puramente económicos se interrelacione el problema social que desencadenan.

En cuanto a política seguida por el Gobierno ante el problema sólo sabemos que como resultado de la gran crisis de 1898, la más aguda en sus caracteres, hubo un Real decreto publicado en 1899, reduciendo los derechos arancelarios para la importación de trigo con objeto de abaratar su precio [22].

El decreto desencadenó la ira de los propietarios agrícolas, firmemente proteccionistas, como potenzian claramente estas notas de un ex alcalde de Valladolid, una; y del Centro de Labradores de la misma ciudad, otra.

«En mi concepto—dice el ex alcalde a los periodistas—el Gobierno debe adoptar medios que tiendan, más que a la disminución del precio del trigo, al aumento del jornal y trabajo para el obrero, pues en lo que a esta región se refiere, no sólo está el mal que sufre la clase obrera en el elevado precio del trigo, sino en que durante los meses de invierno apenas si hay trabajo ni medio de ganarse la subsistencia» [23].

El Centro de Labradores de Valladolid se expresa así: «La medida arbitrada por el Gobierno no creemos que dé solución al conflicto, puesto que pocos serán los trigos que se importen de procedencia extranjera, dado el precio de los cambios.

... Respecto a las existencias de trigos en Castilla, opinamos que hay bastantes para el consumo hasta la próxima cosecha.

---

[22] *El Imparcial,* 4 de marzo de 1899. Resulta curioso confrontar cómo ya a finales del siglo XIX la actitud del Gobierno ante las crisis de subsistencias venía a ser la misma que señala el profesor Gonzalo Anes para el siglo XVIII: «Sin política planificada a largo plazo la gravedad de la crisis obligada a poner en tela de juicio la legislación vigente y a tomar medidas rigurosas.» GONZALO ANES: *Las crisis agrarias en la España moderna,* Madrid, Taurus, 1970, págs. 398-428.

[23] *El Imparcial,* 15 de marzo de 1898. La opinión, a pesar del carácter proteccionista, es muy atinada por tratar de atacar el problema por varios flancos.

... Dichas existencias se hallan en poder de los especuladores y de los labradores acomodados» [24].

Crisis industrial

En el terreno de la industria existe también una crisis que se agudiza sobre todo a partir de 1892, al derrumbarse el mercado exterior del hierro, y en 1898, al sobrevenir el hundimiento del mercado antillano [25]. Los síntomas de esta crisis en las ciudades semiindustrializadas se manifiestan, en los primeros años que estudiamos, en motines y disturbios que a medida que pasa el tiempo irán tomando carácter específico de huelgas:

«Madrid 1885: En el salón del Prado se reunieron ayer tarde 300 obreros para acordar los medios de pedir trabajo al Ayuntamiento de Madrid» [26].

El año 1885 es año de motines. Con pocos días de diferencia cunde el descontento social de tal forma que se sublevan—por diferentes motivos—las cigarreras de Sevilla, las verduleras de la plaza de la Cebada de Madrid y ¡las enfermas del hospital de San Juan de Dios! [27]. Quizá estos motines episódicos ponen de manifiesto mejor que ningún otro cuál es el clima de tensión en el que vive la clase trabajadora en la España de finales de siglo.

Los motines se suceden sin interrupción:

«*Madrid:* La población obrera de Madrid sufre desde hace tiempo las consecuencias de una crisis que a todas las clases sociales alcanza, y que ahora, durante el invierno se ha agravado y son ya miles de braceros sin trabajo y sin recursos» [28].

«*Barcelona:* Telegrafían de Barcelona que gran número de obreros de máquinas de vapor sin trabajo han acordado implorar la caridad pública porque carecen de alimentos.»

«*Valladolid:* Se han repetido las manifestaciones de obreros. Algunos de ellos subieron a las casas para pedir limosna, lo

---

[24] *El Imparcial,* 22 de marzo de 1898. La declaración parece poner de manifiesto que el sentido de la realidad de los amotinados era grande cuando tiraban piedras contra los acaparadores.
[25] VICÉNS VIVES, *ob. cit.*
[26] *El Imparcial,* 8 de febrero de 1885.
[27] *El Imparcial,* 31 de marzo de 1885.
[28] *El Imparcial,* 2 de febrero de 1886.

cual produjo cierta alarma en el vecindario, a pesar de la actitud pacífica de los manifestantes.»

«*Béjar:* Se han cerrado varias fábricas, siendo muchos los obreros que se encuentran sin trabajo» [29].

En los años sucesivos la cuestión se complica con las consecuencias del desastre americano. Así, en 1898 en Valencia, se cerró «la fábrica de hilados de seda llamada la Batifora, quedando sin trabajo 200 obreros» [30]. En los años siguientes, 1899 principalmente, los conflictos y agitaciones en las provincias industriales continúan, especialmente en Barcelona, Valencia y Sevilla [31].

Como en el caso de la crisis campesina el Gobierno o se limita a echar la fuerza pública a la calle, cuando las agitaciones toman carácter violento, o influye en las autoridades municipales para que acallen las rebeliones con remedios circunstanciales, como son el trabajo temporal en las obras municipales (con bajísimos jornales, por cierto) o la asistencia y beneficencia social.

«*Madrid:* Desde las nueve de la mañana empezaron los obreros a reunirse en la plaza de la Villa, de allí se dirigieron a la Puerta del Sol gritando 'Pan y trabajo'.»

Ante la posibilidad de una agitación violenta la autoridad toma precauciones: hace salir piquetes de la Guardia Civil a la calle. La multitud espera la llegada del gobernador civil, por entonces el conde de Xiquena. Al llegar el gobernador «desciende de su carruaje y pronuncia unas palabras» que son mal atendidas por la multitud. Después se retira, luego de «repartir unas monedas entre los más necesitados». Son detenidos catorce manifestantes que oponen resistencia, aunque se los libera poco después. Esta multitud calcula el periodista que eran aproximadamente unos 3.000 [32].

---

[29] Las tres citas son de *El Imparcial,* 2 de diciembre de 1887.
[30] *El Imparcial,* 11 de diciembre de 1898.
[31] Cfr. *El Globo,* 1 de julio de 1899 y sgs.
[32] *El Imparcial,* 2 de febrero de 1886. Creemos que la noticia de prensa es bastante reveladora de la actitud distante y paternalista que la mayor parte de la burguesía y el Gobierno tenía ante los problemas sociales.

Las buenas palabras de las autoridades pueden ser un alivio en estos años en que los obreros no están organizados y no reclaman sus derechos. Así, en una mañana de 1898, después de esperar un grupo de 100 obreros veinticuatro horas a que les llegase el turno para coger su papeleta de trabajo, como se repartieron sólo 50 se dirigieron a la plaza de la Villa, donde el alcalde logró disolverlos «prometiéndoles más papeletas y corregir los abusos que se cometen en el reparto» [33].

En cuanto a la Beneficencia, es la otra panacea a la que acuden las autoridades cuando intentan buscar soluciones. Las obras benéficas se multiplican en la España de estos años, los establecimientos oficiales y los privados, las obras pías—regentadas por señoras muchas de ellas—compiten y colaboran en su deseo de «conjurar» [34] los males que aquejan a las clases desheredadas.

Las tiendas-asilo, establecimientos semibenéficos, semicomerciales, idea de Moret, se crean primero en Madrid y después se extienden a provincias. Asociaciones de Caridad, obras pías, como las conferencias de San Vicente de Paul, actuaban en un radio nacional muy amplio. Su finalidad era paliar los estragos que el paro, los bajos jornales y la mendicidad causaban en una población trabajadora mal alimentada, mal alojada y peor vestida.

Las cifras que llegan a presentar estas asociaciones en sus listas de socorridos son alarmantes y dan una idea muy clara de cuál era la profundidad del problema social:

«En el Asilo del Sagrado Corazón de Jesús se han repartido mil raciones» [35].

«Casa de Socorro de Palacio: desde el día 1 de diciembre último, en que se inauguró este benéfico Asilo hasta el 31 del mismo mes, han sido socorridas 9.001 personas» [36].

---

[33] *El Imparcial,* 3 de noviembre de 1898.
[34] La palabra «conjurar» aparece continuamente en la Prensa en lugar de solucionar. Debía existir una relación mágico-psicológica que quizá podría aclararnos un estudio monográfico del lenguaje o fraseología de la época. Parece como si los males sociales pudieran solucionarse por arte de magia y no fueran resultado de una acción política consciente de los problemas sociales.
[35] *El Imparcial,* 24 de enero de 1885.
[36] *El Globo,* 6 de enero de 1899.

«En el Comedor de la Caridad fueron socorridas ayer 4.300 personas» [37].

«En el Comedor de la Caridad, establecido en el Asilo de Huérfanos de la calle de Claudio Coello, fueron ayer socorridas 5.142 personas» [38].

Sobre este tema daremos muchos más datos al entrar en el estudio del problema social en Madrid, que será el objeto fundamental de nuestro trabajo.

Para concluir, digamos simplemente que ante la imposibilidad de una solución efectiva del problema social por parte de los sucesivos gobiernos en el poder la única vía posible que les quedaba a las clases trabajadoras era la acción común y la organización colectiva. No olvidamos la contribución importante que el Instituto de Reformas y las comisiones que creó, encargadas de redactar informes sobre las condiciones de trabajo, hicieron al problema social, pero, como muy bien ha señalado Carr [39] su aportación fue «menos la legislación misma que el órgano creado para proyectarla y ponerla en práctica». Las únicas leyes importantes que el gobierno dictará en apoyo del problema serán las de 1900: una, regulando el trabajo de mujeres y niños (13 de mayo de 1900) y otra los Accidentes de Trabajo (30 de enero de 1900).

---

[37] *El País,* 8 de marzo de 1900.
[38] *El Socialista,* 22 de febrero de 1901.
[39] R. CARR, *op. cit.,* pág. 440.

I

LA CIUDAD DE MADRID
A FINALES DEL SIGLO XIX

CAPÍTULO I

POBLACION E INFRAESTRUCTURA SANITARIA

> La Corte es ciudad de contrastes; presenta
> luz fuerte al lado de sombra oscura; vida re-
> finada, casi europea, en el centro; vida afri-
> cana, de aduar, en los suburbios.
>
> *(La busca*, O. C., II, 282.)

POBLACIÓN.—ACTIVIDADES PROFESIONALES.—
AGUA Y ALCANTARILLADO.—LIMPIEZA DE LA CIUDAD

Creemos que para situar nuestro trabajo en unas coordenadas
temporales y espaciales determinadas, después de haber dado una
panorámica general de la España fin de siglo, cumple ahora fijar la atención en Madrid, escenario concreto de nuestro estudio.

Para empezar vamos a tratar de esbozar algunos aspectos de
Madrid a fines del siglo XIX y principios del XX, que pensamos
son fundamentales para situar y comprender lo que podríamos
llamar problemática social de la novela de Baroja. Intentaremos
descubrir Madrid a través de su población, sus actividades profesionales, su infraestructura urbana y sus servicios públicos.
Aspectos condicionantes, pensamos, de todo ese mundo que pu-
lula y bulle en los relatos de nuestro autor. Como las referencias
a la realidad geográfica de Madrid serán varias a partir de
ahora acompañamos, para mayor facilidad del lector, un plano
de la ciudad en 1898, unas notas sobre los distritos municipales
y los barrios en que subdividía cada distrito y algunas fotografías que servirán para completar el texto.

ENUMERACION DE LOS BARRIOS DE MADRID TOMADA DE EMILIO VALVERDE: PLANO Y GUIA DEL VIAJERO EN MADRID. MADRID, 1885, PAGINAS 107-108.

Madrid estaba dividido administrativamente en *diez distritos* que a su vez se subdividían en diez barrios:

1. PALACIO

1. Alamo.
2. Amaniel.
3. Bailén.
4. Conde-Duque.
5. Florida.
6. Leganitos.
7. Platerías.
8. Príncipe Pío.
9. Quiñones.
10. Vergara.

2. UNIVERSIDAD

1. Campo Guardias.
2. Colón.
3. Corredera.
4. Daoíz.
5. Dos de Mayo.
6. Escorial.
7. Estrella.
8. Pez.
9. Pizarro.
10. Rubio.

3. CENTRO

1. Abada.
2. Arenal.
3. Bordadores.
4. Descalzas.
5. Espejo.
6. Isabel II.
7. Jacometrezo.
8. Postigo S. Martín.
9. Puerta del Sol.
10. Silva.

4. HOSPICIO

1. Barco.
2. Beneficencia.
3. Chamberí.
4. Colmillo.
5. Desengaño.
6. Fuencarral.
7. Hernán Cortés.
8. Pelayo.
9. Santa Bárbara.
10. Valverde.

5. BUENAVISTA

1. Alcalá.
2. Almirante.
3. Belén.
4. Caballero Gracia.
5. Libertad.
6. Montera.
7. Plaza de Toros.
8. Reina.
9. San Marcos.
10. Salamanca.

6. *CONGRESO*

1. Angel.
2. Car. S. Francisco.
3. Cervantes.
4. Cortes.
5. Cruz.
6. Gobernador.
7. Huertas.
8. Lobo.
9. Príncipe.
10. Retiro.

7. *HOSPITAL*

1. Atocha.
2. Ave María.
3. Cañizares.
4. Delicias.
5. Ministriles.
6. Olivar.
7. Primavera.
8. Santa Isabel.
9. Torrecilla del Leal.
10. Valencia.

8. *INCLUSA*

1. Cabestreros.
2. Caravaca.
3. Comadre.
4. Embajadores.

5. Encomienda.
6. Huerta del Bayo.
7. Peñón.
8. Peñuelas.
9. Provisiones.
10. Rastro.

9. *LATINA*

1. Aguas.
2. Arganzuela.
3. Calatrava.
4. Cebada.
5. Don Pedro.
6. Humilladero.
7. Puerta Toledo.
8. Puerta Moros.
9. Solana.
10. Toledo.

10. *AUDIENCIA*

1. Cava Baja.
2. Carretas.
3. Concep. Jerónima.
4. Constitución.
5. Estudio S. Isidro.
6. Juanelo.
7. Progreso.
8. Puente Segovia.
9. Puerta Cerrada.
10. Segovia.

Población

¿Cómo es efectivamente Madrid en esos años que transcurren las novelas barojianas? Don Pío nos proporciona abundantes notas descriptivas sobre la realidad urbana madrileña. Madrid es en principio una ciudad de contrastes, una ciudad semi-provinciana, donde la posibilidad de un trabajo y una vida más fácil empieza a atraer a los emigrantes del campo. Manuel, protagonista de la trilogía *La lucha por la vida,* viene a Madrid desde un pueblo de la provincia de Soria[1]. Llega a la gran ciudad, a la capital de un estado que dos años después de su llegada, es decir, en 1887[2], habrá alcanzado la cifra de 470.283 habitantes, y que en pocos años llegará al medio millón: en 1895 hay 547.399 habitantes; en 1900, 539.835[3].

Para analizar esta población madrileña, en aumento progresivo a lo largo del XIX, vamos a servirnos de los censos de 1887 y 1900 principalmente.

Si observamos las pirámides de población por edades, en la de 1887 nos encontramos con un tramo infantil, de los 0-5 años, que acusa una natalidad baja y que a partir de los 6-10 años se estrecha debido al fuerte índice de mortalidad. Para 1900 viene a ser casi lo mismo en cuanto a natalidad, observándose un descenso de la mortalidad infantil.

En ambas pirámides los tramos comprendidos entre los 16-20 a 46-50 años son los más interesantes. En la de 1887 la base empieza a crecer de los 16-20 años, tanto del lado masculino como femenino. Este crecimiento se debe a la inmigración hacia la capital de individuos venidos desde la provincia de Madrid y otras provincias de España, atraídos por la posibilidad de un trabajo mejor remunerado y más fácil.

El Manuel de *La busca* viene a ser, así, un ejemplo bastante representativo de este género de inmigración. Aunque él ha nacido en Madrid, viene de un pueblo de la provincia de Soria, donde han transcurrido algunos años de su infancia. Sus familiares le envían a la capital ante la imposibilidad de hacer carrera de él, por una parte, y para que aprenda un oficio, por otra. Es un inmigrante joven que tiene posibilidades y garantías de arraigar en un nuevo ambiente.

De los 21-25 años la inmigración masculina y femenina, como

---

[1] *La busca,* O. C., I, 268.

[2] Debe llegar al empezar la Regencia de María Cristina, en 1885, según indica SOLEDAD PUÉRTOLAS, *El Madrid de la lucha por la vida,* Madrid, Helios, 1971, págs. 11-12.

[3] DOMINGO ROMERO: *Contribución al estudio del problema de la vivienda en Madrid,* Madrid, 1935, pág. 28.

blación madrileña durante el quinquenio 1896-1900. A partir de ellas hemos extraído nosotros el crecimiento vegetativo:

Años	Natalidad — Por 1.000	Mortalidad — Por 1.000	Crecimiento vegetativo Por 1.000
1896	32,4	36,9	— 4,5
1897	30	28,6	+ 1,4
1898	30,4	29,6	+ 0,8
1899	29,95	30,08	— 0,13
1900	29,2	32,9	— 3,7
Coeficientes medios del quinquenio ...	30,39	31,45	— 1,06

Como puede verse, el coeficiente de natalidad es regularmente decreciente, mientras que el de mortalidad sigue la tendencia contraria, superando además, salvo en los años 97 y 900, al de natalidad, de lo que resulta que el crecimiento vegetativo en su conjunto sea negativo. De ello debe deducirse que el aumento progresivo de la población madrileña se debe únicamente a la inmigración, hecho normal en las grandes ciudades surgidas con la revolución industrial del siglo XIX.

Ricardo Revenga, en su estudio sobre la mortalidad madrileña a fines del siglo XIX, hace una afirmación rotunda, que aunque un poco exagerada, no deja de ser cierta. «Sin la inmigración—escribe—sin el contingente de habitantes que nos envían las provincias a impulso de ese afán de acudir a los grandes centros de población, que ha recibido el nombre de absentismo, Madrid quedaría totalmente desierto dentro de 591 años» [8]. Según el censo de 1887, existían en Madrid 127.230 varones y 139.439 hembras no nacidos en la capital, sobre 92.786 varones y 104.630 hembras nacidos en ella. En 1900 había 125.532 varones y 151.423 hembras que no nacieron en Madrid, contra 119.402 varones y 138.039 hembras nacidos en la capital [9].

De todas estas cifras se desprende que uno de los sucesos

[8] RICARDO REVENGA: La muerte en Madrid, Madrid, 1901, págs. 9-10.
[9] FUENTE: Censos de la población de España de 1887 y de 1900, citados anteriormente.

de los que parte una de las trilogías barojianas más importantes, *La lucha por la vida,* se funda en la realidad histórica de la emigración hacia Madrid a fines del XIX. El suceso va a ser factor desencadenante de una serie de aventuras y experiencias para el protagonista, Manuel, y para el lector que va a adentrarse con él en la enmarañada trama sociológica del Madrid fin de siglo. Es decir, en el relato van a ir surgiendo las dificultades y problemas que Madrid presenta para ese recién llegado que busca trabajo y para tantos otros—recién llegados o no—que se encuentran en su misma situación.

Actividades profesionales

En Madrid no es fácil encontrar trabajo. Madrid es una ciudad sin industria, que al recibir los primeros contingentes inmigratorios contempla su llegada sin impulsar el desarrollo económico capaz de crear los puestos de trabajo necesarios para todos ellos.

Según los datos del censo de 1887, la población activa madrileña era de 205.311 personas (es decir, un 43,6 por 100 del total). De dicha población activa un 20,52 por 100 estaba ocupado en el sector primario, agricultura y ganadería. La industria absorbía un 25,66 por 100 de esa población, si bien los datos no nos parecen muy exactos, ya que incluyen por un lado la industria fabril y minera, con un mínimo porcentaje, y por otro las artes y oficios, sin que se especifique qué clase de arte u oficio. Entre profesiones liberales, empleados públicos y privados y fuerzas armadas (militares y marinos) tenemos un 17,91 por 100 y un 22,20 está destinado a servicios personales y domésticos [10]. Si comparamos estos datos con los de 1900, tenemos que el sector primario decrece, ocupando sólo a un 19,64 por 100 de la población activa total. El sector industrial emplea a un 23,84 por 100 y el sector terciario, ocupa entre empleados públicos y privados, militares y profesiones liberales a un 19,30 por 100. Queda el renglón de servicios personales y domésticos con un 20,65 por 100, casi tan elocuente como el anterior [11].

Por los datos del censo podemos extraer la fisonomía eco-

---

[10] FUENTE: *Censo de la población de España en 1887,* ant. cit.
[11] FUENTE: *Censo de la población de España en 1900,* ant. cit.

nómica del Madrid fin de siglo, la función fundamental que cumple la ciudad: la de ciudad administrativa, burocrática, sede del Gobierno. Ciudad tranquila, casi provinciana, dominada en su cúspide por una minoría de hombres de negocios, políticos y profesionales liberales y compuesta en su base por una mayoría ocupada en industrias y talleres, sobre los que no poseemos datos exactos por el momento, en actividades agrícolas y en un número bastante notable de servicios personales y domésticos, filón inagotable de trabajo, que reabsorbía una parte de la masa inmigratoria, sobre todo femenina, que a lo largo de estos años va llegando a la ciudad como mano de obra. En los censos citados un 62 y 63 por 100 de esos servicios son realizados por mujeres, que ya vimos anteriormente que eran más numerosas como inmigrantes.

No poseemos más datos específicos sobre industria madrileña que los reseñados más abajo de la Prensa [12], que consignamos

---

[12] Según datos publicados por el Ayuntamiento, la estadística industrial madrileña en 1885 era la siguiente:

	Número
Fábricas	
De tejidos, estampados, cordelería, etc.	42
De materiales de construcción, como yeso, piedra artificial, etcétera, fundiciones y aserrado de maderas	78
De muebles, utensilios, objetos uso personal, como carteras, petacas, hules, juguetes	380
De aplicaciones científicas, instrumentos músicos, armas	28
De artículos de perfumería, productos químicos, bujías	12
De jabón, almidón y artículos alimenticios, como fideos, cervezas, chocolates, galletas, etc.	130
TOTAL DE FÁBRICAS	628
Artes y oficios	
Talleres diversos	534
Maestros con varias industrias, tales como carpinteros, cerrajeros, armeros, hojalateros, cuberos, etc.	1.373
Barberías y peluquerías	395
Tintes	38
Hornos y tahonas	271
Imprentas, litografías, fotografías y administración de periódicos	243
Farmacias y herbolarios	174
TOTAL ARTES Y OFICIOS	3.023

La estadística añade el número de almacenes de tejidos, curtidos, materiales de construcción, muebles y artículos alimenticios, así como el de comercios de todas clases, desde artículos de vestir hasta de consumo diario, y el de establecimientos comerciales varios, como fondas, cafés, más por su interés que por su exactitud. No hemos encontrado estadísticas que nos den la identidad, dimensión, número de obreros, de las fábricas y talleres madrileños. Miguel Capella, en su estudio sobre *La industria en Madrid,* publica una lista del número de contribuyentes industriales madrileños durante los años 1893-1894 y 1895-1896 que reproducimos a continuación [13]:

AÑOS 1893-1894

ARTES Y OFICIOS	Número de contribuyentes	Cuotas pesetas	FABRICACION	
			Número de contribuyentes	Cuotas pesetas
Barcelona...	11.755	608.450,36	7.556	2.471.562,69
Madrid	4.547	364.284,87	2.084	416.065,93
Valencia	4.488	210.994,51	3.367	394.374,48

AÑOS 1895-1896

	Número de contribuyentes	Cuotas pesetas	Número de contribuyentes	Cuotas pesetas
Barcelona...	9.778	514.059,91	6.807	2.141.948,34
Madrid	4.176	347.746,59	2.207	440.175,27
Valencia	4.531	204.249,59	3.318	381.162,14

tabernas, agencias e incluso industrias de portal, y puestos fijo más notables, como ópticos, relojeros, plateros, y los puestos de mercados. El total de todo es el siguiente:

Fábricas	628
Artes y oficios	3.023
Almacenes	575
Comercios	4.309
Establecimientos varios	3.460
Puestos y portales	1.724
Puestos de mercado	1.419

TOTAL ESTABLECIMIENTOS 15.138

El Imparcial, 10 de julio de 1885.

[13] MIGUEL CAPELLA: *La industria en Madrid,* Madrid, 1962, II, páginas 497-98. Artes y Oficios y Fabricación vienen a ser el equivalente de lo que se llamó después Tarifas 4.ª y 3.ª, que correspondían a la industria exclusivamente.

Se nota una superioridad, como resalta el autor, de Barcelona sobre Madrid tanto en el número de contribuyentes como en las cuotas percibidas. Capella añade que incluso la propia Valencia supera a Madrid en esos años por el número de contribuyentes, aunque las cuotas satisfechas sean mayores en Madrid.

De lo expuesto, creemos que por el momento puede deducirse que la vida en Madrid para cualquiera que no estuviera en una situación social privilegiada no podía ser fácil, tenía que ser una dura «lucha por la vida». Baroja intenta a veces encontrar en esa dureza la justificación de la pérdida en potencial humano y energético de tantos hombres de su generación. El se refiere sobre todo a los hombres de su clase, a sus contertulios en un tiempo de cafés y redacciones de periódicos, que al chocar con la dura realidad cotidiana se convirtieron en golfos de café. La causa probable, para Baroja, en un análisis demasiado simplista del problema, era la falta de trabajo originada por la corrupción y nepotismo de políticos y gobernantes y por la pérdida de las colonias, que restringieron el número de empleos en España. El resultado fue «que al verse tantos hombres en las proximidades de los treinta años sin oficio, sin medios de existencia y sin porvenir, se desarrolló, principalmente en Madrid, una bohemia áspera, rebelde, perezosa, maldiciente y malhumorada.

Era lógico que así fuera—añade—; no se veía salida alguna y no había manera de resolver la existencia» [14].

Agua y alcantarillado

La prueba quizá más contundente del carácter preindustrial de la ciudad de Madrid era lo precario de su infraestructura urbana y de sus servicios públicos. Vamos a tratar de estudiar estos aspectos por la forma en que ellos, creemos, inciden en el panorama general de la ciudad y en aspectos concretos de nuestro estudio como vivienda, enfermedad...

En primer lugar, Madrid era una ciudad con una red de conducción y distribución de agua muy deficiente. El abastecimiento de agua en Madrid se realizaba de dos modos: a través del

---

[14] *Final del siglo XIX y principios del XX*, O. C., VII, 664.

Canal de Isabel II o de Lozoya, que conducía las aguas de este río y dependía del Estado, y por los «viajes antiguos», canales distribuidores de agua de manantial, que estaban a cargo del municipio y se llamaban así por diferenciación con la entonces nueva empresa del Canal. Los «viajes antiguos», llegaban a los ciudadanos madrileños a través de fuentes varias. Baroja nos habla de la fuente de las Descalzas, la de Pontejos, la de Fuentecilla. La existencia de estas fuentes y la falta de agua en las casas había dado lugar a una profesión de la que habla don Pío: el aguador [15].

Los aguadores, que eran generalmente asturianos y gallegos y formaban un gremio característico como el de los serenos, pagaban una contribución al Ayuntamiento para tener derecho a recoger el agua en determinadas fuentes y llevarla a las casas. «El aguador—nos cuenta el novelista—era un personaje que daba cierto aire campesino a la calle...; solía estar sentado esperando la vez sobre la cuba, alrededor de las fuentes viejas que se llamaban de los antiguos viajes de Madrid, que eran de agua salina, agua gorda...» [16].

El salario de los aguadores era de unas dos o tres pesetas al mes por cuba diaria, aunque en los meses de sequía podían llegar a tener más ganancia. Algunos de ellos servían a 50 ó 60 casas, por lo que a final de año llegaban a reunir una cantidad de dinero bastante respetable en relación con los sueldos y el nivel de vida de la época. Los gastos que tenían eran mínimos: vivían juntos de tres a ocho aguadores en un mismo cuarto; en verano dormían al raso, solían alimentarse con las sobras que les daban en las casas donde servían—en algunas había un puchero para ellos—y no gastaban en ropa porque raramente se mudaban en un año. Cuando se cansaban de su trabajo vendían su cargo a un paisano, que podía llegar a darles hasta 1.600 pesetas por el traspaso [17]. La presencia en las calles madrileñas de los aguadores debía constituir un motivo pintoresco que llamó poderosamente la atención del Baroja niño recién llegado a Madrid [18].

[15] *Reportajes*, O. C., VII, 1107.
[16] *Reportajes*, O. C., VII, 1108.
[17] PHILIPH HAUSER, *op. cit.*, I, pág. 229.
[18] De su primer viaje a Madrid hacia 1879 conservaba el recuerdo de los aguadores: «Nosotros teníamos nuestro aguador, que, como todos los que se empleaban en este trabajo, era asturiano, llevaba traje

Más importancia que el agua de los viajes antiguos tenía ya a final de siglo la del Canal de Lozoya. El río Lozoya durante un curso de 90 kilómetros recibía más o menos directamente los residuos de unos 29 pueblos situados en su cuenca. En algunos de esos pueblos había lavaderos en las minas márgenes del río, donde se lavaba la ropa, se bañaba la gente y se arrojaba el contenido de algunas alcantarillas o de pozos negros. En sus alrededores había y se bañaban, unas 60.000 cabezas de ganado y hasta él llegaban los desechos procedentes de la vegetación, el cultivo de sus riberas y algunas industrias de sus márgenes [19]. Como puede deducirse fácilmente, todos estos factores eran la causa permanente de la escasa potabilidad del agua de Lozoya.

A estos factores se sumaban, en determinadas épocas del año, otras causas excepcionales que provocaban oleadas de agua completamente turbia, «las turbias del Lozoya», que la hacían prácticamente imposible de beber.

Según Loza y Collado, médico de la Beneficencia Municipal, el agua del Lozoya rara vez llegaba a Madrid en perfecto estado de transparencia, como la potabilidad exigía. En el Laboratorio Municipal se practicaron análisis y observaciones durante un año con el siguiente resultado:

	Días
Transparentes (verdaderamente potables)	23
Claras (con 2 mg. de arcilla por litro)	221
Opalinas (con hasta 5 mg. de arcilla por litro) ...	91
Turbias (más de 5 mg. inservibles	30 [20]

El vecindario de Madrid usaba el agua hasta que la vista y el gusto la rechazaban, pero mientras tanto había ya tomado «tierra en cantidad suficiente para producir alteraciones en la mucosa digestiva que amenguan sus naturales defensas contra cualquier infección» [21]. Cuando el agua alcanzaba tal grado de suciedad que se hacía impotable, Madrid quedaba circunscrito al

de pana y la montera típica de los campesinos de su tierra; un cuero cuadrado, grueso, en el hombro y una zahona en una de las piernas, donde apoyaba la cuba al verter el agua en la tinaja.» *Familia, infancia y juventud*, O. C., VII, 536.

[19] EMILIO LOZA Y COLLADO: *El servicio del agua en Madrid*, Madrid, 1903, pág. 32.

[20] EMILIO LOZA Y COLLADO, *op. cit.*, pág. 39.

[21] EMILIO LOZA Y COLLADO, *op. cit.*, pág. 39.

agua de los antiguos viajes, totalmente insuficientes para abastecer las necesidades de toda la población.

Solía producirse con cierta frecuencia que las aguas se enturbiaran después de un verano de sequía; esto se debía a que el nivel del agua embalsada descendía alarmantemente y luego al llover, la lluvia encenagaba el agua de tal forma que se hacía impotable.

Esto sucedió con caracteres de gravedad en los años 1896 y 1899. Sobre todo en 1899, las turbias llegaron a tener tal intensidad que el agua parecía cieno, resultando repugnante a la vista e incluso al olfato. La situación se prolongó cuarenta días [22]. Hubo un número considerable de fiebres tifoideas y se atribuyó a la impureza del agua el origen de la epidemia. Se discutió mucho sobre la causa de las turbias, y según Hauser, los ingenieros del Canal llegaron a la conclusión de que eran debidas a algunos afluentes del Lozoya que arrastraban sedimentos de tierras rojizas. Por otro lado, los doctores Sama y Verdes Montenegro trataron de investigar el origen de la epidemia tifoidea y su relación con las aguas.

Durante el mes de agosto, en el Laboratorio Municipal se analizó el agua procedente de las turbias del Lozoya y el resultado fue que el día 25 del mismo mes había llegado a contener por litro hasta 5 gramos de materia arcillosa en suspensión y 20 miligramos de materia orgánica [23].

La situación, por lo alarmante, debió de ser terreno abonado para toda clase de oportunistas, que aprovechando las circunstancias intentaron explotar a la castigada población madrileña. De ello tenemos noticia por la Prensa, que previene a los vecinos contra ciertos vendedores ambulantes que vendían agua del Lozoya, clarificada con alumbre, haciéndola pasar por agua de los viajes antiguos. Esta adulteración provocaba violentos cólicos a los consumidores [24].

El problema del agua en Madrid, prueba concluyente de lo deficiente de su infraestructura urbana, a pesar de presentar con frecuencia situaciones como las descritas, no llegó a solu-

[22] PHILIPH HAUSER, op. cit., t. II, pág. 256.
[23] El Globo, 16 de septiembre de 1899.
[24] El Globo, 14 de septiembre de 1899.

cionarse hasta bastante entrado el siglo xx. En 1900, aparecen en la Prensa noticias como ésta.

«La gravísima cuestión del agua, con la que tan relacionada está la relativa a la salud pública, no tiene solución en Madrid. En casi todas las casas las fuentes dan barro, no agua, y en las fuentes públicas el precioso líquido corre con tales intermitencias, que en todas partes se deja sentir su escasez.

Que esto suceda en pleno invierno y en la capital de España constituye un verdadero colmo» [25].

Alcantarillado

En estrecha conexión con el problema del agua está el del alcantarillado. El alcantarillado de Madrid carecía de base racional, comenzando por el plan de distribución. Hasta la primera mitad del siglo XIX el alcantarillado sólo se extendía por el centro de la población y comprendía ocho alcantarillas principales: la de Leganitos, la de Segovia, la de San Francisco, la de Gil Imón, la de Embajadores, la de Carcabón, la del Prado y la de Curtidores [26].

A estas viejas galerías, construidas por el Ayuntamiento, se añadieron más tarde las nuevas, hechas por la empresa del Canal de Lozoya, que se calculaba que medían más de dieciséis leguas frente a unas ocho de las antiguas. Decimos se calculaba, porque hasta el año 1898 no hubo datos oficiales, ni plano, de la red de alcantarillado en el Ayuntamiento. En dicho año se celebró en Madrid el IX Congreso Internacional de Higiene y Demografía y el entonces alcalde del Ayuntamiento, conde de Romanones, encargó un plano para que se exhibiese en la Exposición dependiente del Congreso.

Ya el hecho de que no existiese un plano detallado nos parece harto significativo del lamentable estado en que se encontraban los servicios públicos. Por otro lado, el acceso a las alcantarillas era casi imposible: las galerías viejas tenían 1,80 de altura por 0,70 de ancho; las nuevas eran de dos clases; de

[25] *El Imparcial,* 12 de febrero de 1900.
[26] PHILIPH HAUSER, *op. cit.,* t. I, pág. 167.

1,80 por 0,80 y de 1,60 por 0,60 y hasta de 0,50 [27]. Por el suelo de estos estrechos pasillos corrían las aguas fecales adquiriendo alturas muy diversas—de hasta medio pie en las calles de Arenal y Pez—y formando gran cantidad de lodo. El lodo y los depósitos o estancamientos hacían enormemente difícil el tránsito, por lo cual, hasta que se realizaron los planos las únicas personas capaces de arreglar las averías que surgiesen, o de inspeccionarlas con cierta regularidad, eran los encargados del servicio, pero cualquier control técnico más especializado era imposible por la precariedad de las instalaciones.

En segundo lugar, el alcantarillado de Madrid no cumplía ninguna de las condiciones higiénicas exigidas como indispensables para que la ciudad estuviese libre del peligro de contaminación.

La gran mayoría de las calles de la parte inferior de los distritos de Hospital, Inclusa y Latina no tenían alcantarillado. Una parte importante de casas de estos barrios, sobre todo las llamadas casas de vecindad, no tenían agua y los vecinos tenían que ir a buscarla a las fuentes cercanas. Había 4.000 casas en Madrid en esta situación, generalmente por falta de presión en los depósitos. Un número considerable de casas madrileñas, sobre todo de la parte antigua, no tenían letrinas ni sumideros con válvulas o sifones de cierre hermético. Eran raras las casas en las que hubiese aparatos con chorros de agua para lavar la cubeta de los retretes. En las casas donde los retretes de los señores tenían agua, los de la servidumbre no sólo no la tenían, sino que además comunicaban con la cocina [28].

Naturalmente estas casas, tan escasamente provistas de los elementos más indispensables, estaban habitadas en su gran mayoría por la clase obrera, por lo que en todo tiempo, pero especialmente en época de epidemia, se convertían en focos de infección totalmente desarmados para luchar contra la enfermedad y la muerte. Sobre la ecuación vivienda-enfermedad-pobreza volveremos más extensamente en otro capítulo de este trabajo.

A los hechos enumerados, habría que añadir que ni siquiera

---

[27] *Apuntes de Madrid.* Guía de sus más notables instituciones y edificios de beneficencia, sanidad, administración, enseñanza, ciencias y artes. Madrid, 1883, pág. 120.

[28] PHILIPH HAUSER, *op. cit.,* t. I, págs. 189 y sgs.

el alcantarillado de Madrid había resuelto, por los años que nos ocupan, la conducción de las materias fecales y residuales fuera de la ciudad. Las aguas salían de la población por siete bocas diferentes y después de ir al descubierto grandes trechos se vertían todas juntas en el Manzanares. Estos detritos humanos representaban junto con las aguas de cocina, lavado y calles, unos 20 millones de litros diarios, por lo que Hauser exclama: ¿Cuánto daño no causarán a la salud aquellas masas, al unirse dentro del estrecho cauce del Manzanares? [29].

Así, Baroja nos habla del Manzanares como de un río de doble aspecto, por el Norte, hacia los alrededores del puente de los Franceses, goyesco y velazqueño y «en cambio en las proximidades del Canal, feo, trágico, siniestro, maloliente, río negro que lleva detritos de alcantarillas, fetos y gatos muertos» [30].

Limpieza de la ciudad

Relacionado con el del alcantarillado, está también el problema de la limpieza y recogida de basuras de Madrid, problema de infraestructura que entra de lleno en el terreno de los servicios públicos.

A fines de siglo, el aspecto que debían presentar un buen número de barrios y calles madrileñas no debía de ser muy atrayente, especialmente en los llamados «barrios bajos» o barrios populares. Baroja habla de «aduar africano» (véase cita del principio del capítulo); y es sintomático que otros autores, para nada novelistas, ni literatos como él, coincidan en esta impresión. César Chicote, que fue director del Laboratorio Químico Municipal y conocía bien la geografía madrileña, como lo prueban sus abundantes obras sobre aspectos diversos de la ciudad, dice que Madrid en 1906, tenía en algunas zonas «aspecto de lugar marroquí» y que «un anillo de muladares» lo rodeaba [31].

---

[29] PHILIPH HAUSER, op. cit., t. I, pág. 193.
[30] Vitrina pintoresca. Gente de las afueras. O. C., V, 752.
[31] CÉSAR CHICOTE: Reorganización del servicio de la limpieza de Madrid, Madrid, 1906, págs. 17-18. Evidentemente, tanto en Baroja como en Chicote la semejanza con una ciudad árabe tiene un valor claramente peyorativo.

Parece ser que los progresos higiénicos realizados en la recogida de basuras y limpieza de las grandes ciudades no habían llegado todavía a España a fines del siglo XIX. El mismo Chicote asegura en una de sus obras que entre lo que se hacía con las basuras en el año 1500 y lo que se hacía en 1906, y en la forma en que se hacía no había diferencia sensible [32].

El servicio de limpiezas del Ayuntamiento era ineficaz y las calles recién limpias volvían a ensuciarse al poco tiempo con los barridos de las tiendas; basura que permanecía en la calle al paso de los transeúntes hasta que volvía a pasar, mucho más tarde, el segundo turno de limpieza [33].

Como el servicio municipal resultaba insuficiente para las necesidades de la población, el Ayuntamiento tenía que recurrir para la recogida de basuras a los traperos, personajes característicos de la vida madrileña, de los que Baroja ha dado a través del señor Custodio, de *La busca,* cumplido testimonio.

Los traperos recorrían las calles de Madrid a primeras horas de la madrugada, con carros tirados por mulos o burros, recogiendo las basuras de las casas y calles en sacos y trasladándola a sus vertederos particulares, situados en solares del extrarradio. Para ejercer su industria tenían licencia del Ayuntamiento y pagaban por ella 11 pesetas la primera vez y 27 la segunda. Sólo podían circular con sus carros por las calles hasta los ocho de la mañana en verano y hasta las diez en invierno. Su número era muy elevado; según cálculos aproximados de Hauser, existían en Madrid, a principios del siglo XX, unos 10.000 traperos [34]. Creo que esta cifra es lo bastante elocuente para no tener que comentarla: es prueba evidente de la pobreza del mundo del trabajo en la capital, sobre todo si creemos a Baroja, que describe al señor Custodio casi como un propietario, con la mentalidad, un tanto ambigua, de vagabundo de las afueras madrileñas y de pequeño burgués al mismo tiempo:

«Se levantaba el señor Custodio todavía de noche, despertaba a Manuel, enganchaban entre los dos los borricos al carro y comenzaban a subir a Madrid, a la caza cotidiana de la bota vieja y del pedazo de trapo. Unas veces

---

[32] CÉSAR CHICOTE, *op. cit.,* pág. 18.
[33] CÉSAR CHICOTE, *op. cit.,* pág. 17.
[34] PHILIPH HAUSER, *op. cit.,* t. I, pág. 210.

iban por el paseo de los Melancólicos; otras, por las rondas o por la calle de Segovia.

… Entre unas cosas y otras el señor Custodio sacaba para vivir con cierta holgura; tenía su negocio perfectamente estudiado, y como el vender su género no le apremiaba, solía esperar las ocasiones más convenientes para hacerlo con alguna ventaja» [35].

De toda la actividad de los traperos quizá lo más característico sea la forma de realizarla, ya que solían ejercer al mismo tiempo dos funciones: una, la venta de basuras, después de seleccionar cuidadosamente en montones los diferentes residuos; otra, la cría y venta de animales domésticos. Baroja nos cuenta cómo el señor Custodio procedía a la vuelta de su trabajo diario a la clasificación cuidadosa de las basuras:

«Regresaban Manuel y el trapero por la mañana temprano; descargaban en el raso que había delante de la puerta, y marido y mujer y el chico hacían las separaciones y clasificaciones. El trapero y su mujer tenían una habilidad y una rapidez para esto pasmosa.

… Después de la clasificación de todo lo recogido, el señor Custodio y Manuel, con una espuerta cada uno, esperaban a que vinieran los carros de escombros, y cuando descargaban los carros, iban apartando en el mismo vertedero: los cartones, los pedazos de trapo, de cristal y de hueso» [36].

Seleccionadas las basuras en montones, aprovechaban los traperos los desperdicios para alimentar una serie de animales domésticos, que después o bien vendían por carne o les servían como alimento. «Los desperdicios de pan, hojas de verdura, restos de fruta—sigue contándonos Baroja—se reservaban para la comida de los cerdos y gallinas, y lo que no servía para nada se echaba al pudridero»… [37].

---

[35] *La busca*, O. C., I, 365-66.
[36] *La busca*, O. C., I, 366. Además del testimonio literario de Baroja tenemos otro, no menos valioso, de su hermano Ricardo Baroja, sobre los traperos, en un grabado de ambiente madrileño.
[37] *La busca*, O. C., I, 367.

La cría de animales domésticos en los corrales traperiles la hemos visto duramente atacada por los higienistas de la época por ser fuente de enfermedades. En general, el trapero dejaba a sus animales discurrir libremente entre los restos de basura que iba amontonando y los alimentaba con ella, lo que daba a la carne de los cerdos así alimentados y a los huevos de gallinas «un olor y hasta un sabor repugnantes» [38]. Además, parece ser que entre las basuras eran frecuentes las ratas, que atacaban a los cerdos y les transmitían la triquinosis, según demostraba después el análisis de su carne en el Matadero de Madrid [39].

Indudablemente los traperos no tenían ni medios ni métodos muy de acuerdo con las normas de la higiene, pero sin su auxilio, tanto Chicote como Hauser, reconocen que la limpieza no podría llevarse a cabo. Su crítica va dirigida más contra los métodos que utilizaban que contra la institución trapero en sí misma, a la que parecen considerar irremplazable [40].

Es evidente, por otra parte que tampoco estaba en condiciones de decir nada contra los traperos el Ayuntamiento de Madrid, que todavía a principios del siglo xx no había solucionado el problema del destino de las toneladas de basura que la ciudad arrojaba diariamente.

Era éste un problema que preocupó a todas las grandes ciudades europeas surgidas al calor de la revolución industrial, con la misma intensidad con que hoy puede preocupar en gran escala, en los países industrializados, la contaminación del aire.

La primera medida adoptada para librarse de las inmundicias fue la de utilizarlas como abono para fertilizar los campos cercanos a las ciudades. Se acumulaban en depósitos a los que acudían cultivadores. En 1893, según un informe del Local Government Board de Londres [41], este método empezó a considerarse como inadecuado porque los depósitos eran origen de enferme-

[38] César Chicote, op. cit., pág. 17.
[39] César Chicote, op. cit., pág. 17.
[40] Hemos podido comprobar que actualmente en las afueras madrileñas existen casuchas de traperos formando enclaves, en las que parece no haber cambiado nada desde las descripciones barojianas. Un artículo de Alfonso Sastre, aparecido en la revista Triunfo (8-5-1971), recogía en textos y fotografías vestigios actuales de este mundo de La busca.
[41] César Chicote, op. cit., pág. 49.

dades, entre otras difteria, fiebre tifoidea y septicemia. En el informe susodicho se recomienda como único método perfecto, desde el punto de vista de la salud pública, la incineración. El Congreso de Higiene celebrado en Bruselas en 1903 volvió a insistir sobre lo mismo, mientras que en el Madrid de 1902 seguían existiendo y trabajando con los desperdicios 10.000 traperos.

El mundo de *La busca,* el de los golfos y hampones de *Mala hierba* y los infinitos vagabundos, pobres, y seres marginados de la sociedad que cruzan por esos y otros relatos barojianos, sólo se explican real y literariamente en función de un Madrid como el descrito: con pocos puestos de trabajo, sin agua, sin alcantarillas, sucio y maloliente.

CAPÍTULO II

LAS SUBSISTENCIAS EN MADRID

MERCADOS Y ALIMENTOS.—PRECIOS-SALARIOS

Un aspecto importante de la vida madrileña, que creemos necesario estudiar para entender la problemática social en toda su profundidad, es el concerniente a las subsistencias y su relación con el mecanismo de precios y salarios.

Para analizar el problema de las subsistencias en Madrid a fines del XIX y primeros años del presente siglo, vamos a fijar la atención preferentemente en los artículos de primera necesidad, y siempre que sea posible trataremos de dar su precio y consumo total aproximado. Tenemos que advertir que hemos encontrado escasa documentación sobre este tema para esos años, aunque la hay abundante para años posteriores. Nuestros datos, en su mayoría, llegan a través de la Prensa y de dos estudios sobre el tema: el de Miguel Melgosa Olaechea (*Las subsistencias en Madrid,* Madrid, 1909), que fue jefe del Negociado de Consumos, Abastos, Mataderos y Mercados y el de Francos Rodríguez (*Las subsistencias. Carnes y Alimentos. Sustitutivos de consumos e impuestos municipales,* Madrid, 1910), mucho más incompleto, pero interesante por haber sido éste director de *La Justicia*—periódico republicano de tendencia salmeroniana— cuando el joven Baroja empezó a colaborar en sus páginas [1], y más tarde ocupar el cargo de alcalde de Madrid.

---

[1] Baroja nos lo dice en sus *Memorias:* «... Comencé por entonces a escribir en *La Justicia,* periódico de Salmerón. ... El director de *La Justicia* era Francos Rodríguez, que se las echaba de sentir un gran misti-

Mercados y alimentos

Los alimentos, entonces como ahora, llegaban al consumidor a través de los mercados de la capital y de las tiendas de comestibles. Los mercados más importantes eran los siguientes: el de la Cebada, el de los Mostenses, el de la Paz, el de San Ildefonso, el de San Antón, el del Carmen, el de Chamberí y el de San Miguel. Con algunas desapariciones, casi todos ellos han llegado hasta nuestros días.

Algunos de estos mercados públicos eran explotados por particulares y otros por el municipio. Ninguno parece que reunía las condiciones higiénicas imprescindibles en este tipo de establecimientos [2]. A juzgar por lo que Hauser dice de ellos, más debían producir la sensación de locales descuidados y sucios que de lugares preparados para vender alimentos en condiciones aceptables. Es importante tener en cuenta este detalle porque sólo así puede comprenderse la serie de accidentes por intoxicación y adulteración alimenticia que recogen cada día los periódicos de Madrid. Contando, desde luego, con la codicia de los comerciantes como motor fundamental, no debemos tampoco olvidar la inadecuada instalación para conservar y mantener los alimentos que debían tener los mercados y no digamos las pequeñas tiendas de comestibles. De esta forma se explica que diariamente aparezcan en la Prensa noticias como ésta:

«En el pasado mes de agosto se han practicado en el Laboratorio químico municipal 370 análisis de alimentos y bebidas. De estos análisis se desprende que el 60 por 100 de las muestras analizadas se hallaban en malas condiciones para el consumo.

En los Mataderos se han desechado 82 reses por diversas causas (enflaquecimiento, tuberculosis, perineumonía, etcétera).

---

cismo republicano.» *Familia, infancia y juventud,* O. C., VII, 605-06. Las colaboraciones de Baroja en *La Justicia* empezaron en 1893 y duraron hasta 1896, y como señala Urrutia Salaverri, en ellas «está en cierne ya el Baroja de *Vidas sombrías* y de las primeras novelas». Están recogidas en Pío BAROJA: *Hojas sueltas,* Madrid, Editorial Caro Raggio, 1973, 2 vols. Edición con interesantes prólogo y notas de don Luis Urrutia Salaverri.

[2] PH. HAUSER, *op. cit.,* I, pág. 368.

Se han inutilizado 16.788 kilogramos de alimentos en malas condiciones, es decir, cerca de 17 toneladas, que a no ser por la intervención del laboratorio hubieran ido a parar a los estómagos de los vecinos de Madrid» .[3].

O como éstos:

«El Boletín del Ayuntamiento publica nueva lista de visitas giradas y sofisticaciones encontradas.

Según esta lista, en la última quincena han sido denunciados 63 establecimientos, de los cuales corresponden: 18 a tiendas de ultramarinos (embutidos, conservas, etc.), 15 puestos de carne (en mal estado), 13 lecherías (leche aguada en casi todas), seis puestos de pan y tahonas (falta de peso y limpieza), tres pescaderías, una frutería, etc.» [4].

«Los médicos de la Casa de Socorro auxiliaron anoche a una familia compuesta de cinco individuos, que habita en la Costanilla de los Desamparados, número 6, que presentaba síntomas de intoxicación a consecuencia de haber comido bacalao en malas condiciones» [5].

«Fueron asistidos en la Casa de Socorro del distrito de Palacio Manuel Heras y Manuela Alvarez que después de haber bebido vino adquirido en una taberna de la calle de San Juan de Dios, sintieron síntomas de intoxicación» [6].

La adulteración de los alimentos llegó a ser proverbial en Madrid. Luis Taboada, cronista amable e irónico de la vida madrileña fin de siglo, amigo de Baroja en sus primeros años literarios, comentaba en sus artículos diarios este peligro de la comida: «Todos los días se mueren diez o doce personas víctimas de los comestibles adulterados, y el que desea suicidarse ya no tiene necesidad de disolver fósforos en aguardiente, ni de dar el salto desde el Viaducto, ni de apelar a la tan reputada pistola: lo que debe hacer es comprar un cuarterón de boquerones, comérselos sin pan y meterse después en la cama, donde irá a buscarle la muerte a la media hora» [7].

---

[3] *El Globo,* 16 de septiembre de 1899.
[4] *El Globo,* 15 de octubre de 1899.
[5] *El Imparcial,* 9 de marzo de 1900.
[6] *El País,* 26 de agosto de 1900.
[7] Luis Taboada: *Crónicas alegres de 1900,* Madrid, 1901. Es una co-

En algunos asilos del Ayuntamiento este género de adulteraciones debía de ser práctica corriente, ya que según relata un mendigo barojiano en el «Asilo Municipal del Sur» durante algún tiempo se repartía entre los asilados por la mañana «una sopa, sopa de agua, que no servía más que para calentar las tripas»[8].

El problema, a pesar del desenfado con que lo trata Taboada y el mendigo de Baroja, tenía indudable importancia. Tan es así que al principiar el siglo XX una comisión de los gremios de ultramarinos, comestibles y abacería visitó al entonces ministro de la Gobernación, señor Dato, solicitando que se dictase una real orden de carácter general para que «todos los productos alimenticios de fabricación nacional sean analizados o revisados en los puntos donde radican las fábricas y los de importación en las aduanas»[9].

A la calidad y conservación de los alimentos en mercados y tiendas de consumo se sumaba, como otra deficiencia innata, la existencia de los intermediarios, bastante numerosos, que encarecían enormemente los productos y hubieran sido totalmente innecesarios si los canales de distribución y comercio de mercancías hubieran estado bien organizados. En algunos artículos, por ejemplo, la carne, había hasta cuatro intermediarios antes que el artículo llegase al consumidor: primero el comisionista, que recorría las zonas de producción y adquiría el ganado; luego el corredor, que de acuerdo con el comisionista vendía el ganado al abastecedor; el abastecedor, que pasaba la carne al carnicero y éste, finalmente, que vendía el producto al público[10].

Examinemos ahora los artículos alimentarios de primera necesidad que se encontraban en mercados y tiendas. Veamos primero la carne. Madrid por sí sola consumía ya a finales de siglo tanta carne de vaca como podían consumir cada una de las provincias de la península. Galicia, Asturias, León y Santander eran las provincias encargadas de surtir al Matadero de Madrid, ya que los pueblos inmediatos a la capital no podían atender las

lección de las crónicas semanales publicadas por el autor en *Nuevo Mundo* durante 1900. La citada aquí es «Los horrores de Madrid: vivir en vilo», pág. 29.

[8] *Mala hierba*, O. C., I, 463.
[9] *El Imparcial*, 11 de abril de 1900.
[10] J. Francos Rodríguez, *op. cit.*, pág. 48.

necesidades de una población que semanalmente necesitaba de 1.000 vacas, 400 terneras, 2.400 reses lanares y cerca de 2.500 cerdos [11]. De todos estos animales los únicos que se criaban y explotaban en Madrid y en los pueblos de la comarca eran los cerdos, muchos de ellos en pequeñas industrias familiares, del tipo de las traperiles, vistas en el capítulo anterior [12].

La carne que se consumía en Madrid en su casi totalidad procedía del norte de España, donde se daban y se dan los mejores pastos. Era de calidad deficiente, debido, fundamentalmente, a que todavía no se había realizado la adecuada selección de razas. «Fuera de una pequeña cantidad de bueyes de edad aceptable y engorde conveniente, el resto de los vacunos adultos que se ven en nuestras carnicerías—dice Melgosa—son bueyes y vacas viejas, agotadas por el trabajo, la falta de alimentación y los malos tratamientos; esta clase de animales produce una carne detestable, como no se encuentra nada peor en Europa. En España no se sabe lo que es comer buena carne de buey, como no se conoce el modo de producirla» [13].

A la escasa calidad unía la carne el inconveniente del precio, muy elevado para los salarios medios españoles, especialmente gravado por estar el comercio de carne en las manos de acaparadores que explotaban al público y al ganadero, como ya hemos insinuado anteriormente. El precio del kilogramo de carne iba, según la calidad, de 1,20 a 2,50 pesetas.

Debido a su precio el consumo debía ser reducido entre las clases populares. Según Melgosa, repartida la carne de vaca, más la cabría y la de cerdo, entre todos los habitantes de Madrid, resultaba un promedio anual de consumo por habitante de 42,38 kilogramos, que podían descomponerse de esta forma: 29,18 de ganado vacuno; 4 de lanar y cabrío y 9,20 de cerda [14]. Imaginamos que los cálculos de Melgosa se basan en su calidad de inspector de mataderos, en el peso en vivo de los animales, ya que según Francos Rodríguez el consumo por habitante era

---

[11] M. MELGOSA OLAECHEA, op. cit., pág. 683.
[12] Estos cerdos de los traperos, llamados corraleros, ya hemos visto que constituían un grave peligro para el consumidor por estar criados en pequeñas pocilgas, sin aire, sin higiene y cebados con los restos de basura de la vía pública.
[13] M. MELGOSA OLAECHEA, op. cit., pág. 273.
[14] M. MELGOSA OLAECHEA, op. cit., pág. 684.

de 50 gramos diarios, es decir, la mitad aproximadamente de lo que resultaría de la estimación de Melgosa.

La estadística, como todas, no dice que había muchos madrileños a los que no llegaba ni siquiera la parte alícuota que les correspondía estadísticamente porque muchos hombres, mujeres y niños en Madrid debían abstenerse por necesidad, porque el precio les resultaba totalmente prohibitivo dado lo menguado de sus ingresos diarios; y había otros muchos que consumían menos de esa cantidad y de la calidad más ínfima generalmente cocida.

Así, los huéspedes de la pensión de doña Casiana en su habitual cocido diario no veían la carne: «La patrona mandaba traer todas la mañanas una cantidad enorme de huesos para preparar el cocido. Era posible que en aquel montón de huesos hubiera, de cuando en cuando, alguno de cristiano—comenta irónicamente Baroja—, pero lo seguro es que fuesen de carnívoro o de rumiante, en aquellas tibias, húmeros y fémures no había casi nunca una mala piltrafa de carne» [15].

En otra ocasión Manuel y Roberto tropiezan con un grupo de mendigos que comían en una taberna situada cerca del Puente de Toledo, en la esquina del camino alto de San Isidro y la carretera de Extremadura y «engullían pedazos de bacalao y piltrafas de carne; un olor picante de gallinejas y de aceite venía de la cocina» [16].

Después de la carne examinemos la leche. La leche de vaca que se consumía en Madrid era suministrada por reses estabuladas—de raza holandesa y suiza preferentemente—sometidas a régimen de alimentación y producción intensiva. La costumbre de añadir agua a la leche estaba generalizada hasta límites inauditos. Como además el agua era de la calidad que acabamos de comentar, la leche se convertía en un vehículo de transmisión de enfermedades infecciosas, pero esto era algo tan «habitual» que se hacía incluso con la leche que los proveedores de la Inclusa vendían a esta Institución.

Se consumían en Madrid 162 gramos por individuo, promedio insignificante con relación a otros países. En Inglaterra se

[15] *La busca,* O. C., I, 268.
[16] *La busca,* O. C., I, 299.

ingerían 650 gramos por día e individuo; en Berlín y París, 460 gramos; en Bruselas, 800, y en los cantones suizos, 700 [17].

La razón de este bajo consumo de leche en Madrid se debía principalmente a dos razones muy simples: era cara y mala.

El precio a principios del siglo XX era de 0,80 céntimos el litro. La había más barata, pero ésta de leche tan sólo tenía el nombre, pues era prácticamente agua. El precio de la leche resultaba muy elevado, lo que explica que se consumiese tan poco [18].

A su elevado precio unía su mala calidad, ya que de los análisis practicados en 1909 en el Laboratorio Municipal, de 421 clases diferentes de leche sólo habían resultado buenas 115 [19].

En cuanto al pan, según una estadística del año 1893, se consumían en Madrid 5.000 fanegas diarias de trigo, para cuya transformación en pan existían en 1901 168 tahonas que elaboraban 163.000 kilogramos de pan. En 1904 las tahonas madrileñas ascendían a 190 y elaboraban diariamente 251.407 kilogramos. Para 1909 calcula Melgosa que devoraba Madrid diariamente unas 7.000 fanegas de trigo y que el consumo individual debía ser aproximadamente unos 140 kilogramos al año [20].

El precio oscila mucho a lo largo de estos años. En 1885 un kilogramo de pan costaba 0,36 céntimos. Hacia 1898 costaba la misma cantidad 0,40 céntimos y de 1898 a 1899 pasa de 0,40 céntimos a 0,50 el kilogramo, es decir, un aumento del 25 por 100 [21].

---

[17] M. MELGOSA OLAECHEA, *op. cit.*, pág. 319.
[18] Por esos mismos años en otras ciudades europeas el consumo era mayor, pero los precios eran los siguientes:

Berlín	25 céntimos.
	45 ó 70 la especial, química y bacteriológicamente adecuada para niños y enfermos.
Copenhague	15 a 30 céntimos.
Bruselas	20.
Amsterdam	12.
Estocolmo	18.
Nueva York	25.

M. MELGOSA OLAECHEA, *op. cit.*, págs. 292-93.
[19] M. MELGOSA OLAECHEA, *op. cit.*, pág. 319.
[20] M. MELGOSA OLAECHEA, *op. cit.*, págs. 537 y 182.
[21] *El Globo,* 20 de julio de 1899.

71

Las patatas, el otro producto básico de la alimentación popular madrileña tenían un consumo total de 110.000 kilogramos diarios. De arroz, unas 4.000 toneladas anuales; de aceite, el consumo anual por habitante era de 13,095 litros, y el de bacalao, alimento exclusivo casi de las clases trabajadoras, un millón y medio de kilogramos anualmente [22].

En esencia, los citados eran los productos básicos de la alimentación madrileña, sobre todo de la población más numerosa.

A estos productos fundamentales habría que añadir los famosos garbanzos, que eran también hondamente populares y que venían a costar una peseta el kilogramo.

Precios-salarios

Si partimos del precio de los productos alimentarios en Madrid y lo confrontamos con los salarios, podremos concluir en buena lógica que la subalimentación de una parte importante de la población madrileña tenía que ser inevitable.

Como en el capítulo dedicado al mundo del trabajo daremos noticia detallada de los salarios de varios oficios; vamos a consignar aquí simplemente el salario medio.

Podemos establecer como tal para un obrero sin cualificar 12 ó 16 reales diarios por una jornada media de diez horas.

Si este salario medio en Madrid a finales de siglo lo ponemos en relación con los precios anteriormente citados, vemos cómo difícilmente podía sobrevivir en la ciudad una familia proletaria con uno o dos hijos; no digamos si la familia era más numerosa, caso bastante frecuente en estos años entre las clases trabajadoras.

Según nuestros cálculos, una familia en la que el cabeza ganara el jornal medio de tres pesetas diarias difícilmente podía mantenerse [23]. A corroborar esta afirmación viene el esquema que sobre los gastos diarios de una familia compuesta por tres

_____

[22] M. MELGOSA OLAECHEA, *op. cit.*, págs. 187-99, 410-38. Observemos que en la comida de mendigos citada por Baroja, junto a las piltrafas de carne estaba el bacalao.

[23] Este salario medio, como expresamos más arriba, se extrae del panorama general de salarios madrileños de estos años que hemos recogido en el capítulo VII de este trabajo.

personas presentó en 1885 a la Comisión de Reformas Sociales un obrero encuadernador, que insertamos a continuación:

	Pesetas
Casa	0,50
Pan, dos kilogramos a 36 céntimos	0,72
Carbón, un kilogramo	0,23
Desayuno, compuesto de café y leche ...	0,36

Comida del mediodía

Garbanzos, 125 gramos	0,12
Carne, 250 gramos	0,50
Tocino, 72 gramos	0,15
Verdura, medio kilogramo	0,08

Cena

Carne, 250 gramos	0,50
Patatas, 750 gramos	0,12
Aceite, 125 gramos	0,24
Luz, aceite mineral	0,10
Jabón y varios	0,25
Tabaco	0,10
TOTAL DIARIO	3,97 [24]

No es difícil imaginar que ante la imposibilidad matemática de comer diariamente las raciones alimenticias que más arriba han quedado expuestas, restasen de las mismas las partidas más onerosas, como, por ejemplo, la carne, o redujesen en cantidad aquellas otras de precios más asequibles.

De ahí dimana una de las características principales de esta población: su pobreza orgánica y moral, su subdesarrollo unido la mayor parte de las veces a una serie de lacras morales y físicas. En fin, su pauperismo. Como dice Baroja, refiriéndose sarcásticamente al cocido del que antes hablábamos, «gracias a ese régimen higiénico ninguno de los huéspedes caía enfermo de obesidad, de gota, ni de cualquiera de esas otras enfermedades por exceso de alimentación, tan frecuentes en los ricos» [25].

El problema se agrava si tenemos además en cuenta que la

[24] *Comisión de Reformas Sociales,* tomo I: «Información oral practicada en virtud de la Real Orden de 5 de diciembre de 1883, Madrid, 1889, pág. 224.
[25] *La busca,* O. C., I, 268.

subida de precios es un proceso incontenible a lo largo de todo el fin de siglo. La crisis marcada por la guerra de Cuba incide acusadamente en los precios de los artículos de primera necesidad. Tenemos una lista de la subida que experimentaron ciertos artículos alimenticios hacia mediados de 1898:

		Por 100
Patatas	De 15 céntimos kilogramo a 25	70
Azúcar	De 1,20 pesetas kilogramo a 1,40 ...	15
Café	De 5,00 pesetas kilogramo a 6,00 ...	20
Arroz	De 60 céntimos a 70	11
Jabón	De 80 céntimos a 1 peseta	25
Bujías	De 75 céntimos a 1 peseta	33
Pastas sopa...	De 1,00 peseta a 1,20	20
Tocino	De 2,00 pesetas a 2,20	10
Quesos	De 2,50 pesetas a 4,00	75 [26]

En los artículos de importación según *El Imparcial* el aumento fue de más del 125 por 100.

Por otra lista de precios de estos artículos de primera necesidad que a principios del siglo xx publicó *El Socialista,* se deduce que debía haber pocas ciudades en Europa Occidental, por esos años, donde la vida fuese tan costosa como en Madrid, y donde, por consiguiente, comiesen peor y viviesen más estrechamente los pobres:

	Madrid	Londres	París
Carne de carnero	3,50 kg.	1,50 kg.	—
Carne de vaca	3,50 kg.	1,60 kg.	2,20 kg.
Leche	0,80 ó 1 litro	0,30 litro	0,40 litro
Huevos (docena)...	2	1,50	1,80
Petróleo (litro)	0,80	0,20	0,45
Carbón	4 ptas. 50 kg.	—	3 F. 50 kg.
Arroz	0,80 kg.	0,35 kg.	— [27]

Las diferencias son más ostensibles si consideramos que en estas ciudades europeas el salario de un obrero era más alto que el de un obrero madrileño.

Pese a esta carestía de vida en Madrid, las autoridades, sin

[26] *El Imparcial,* 9 de mayo de 1898.
[27] *El Socialista,* 6 de septiembre de 1901.

embargo, no parece que dejasen de apoyar a los patronos frente a los obreros cuando éstos se declaraban en huelga pidiendo aumento de jornal. Actitud que no deja de ser señalada por la Prensa [28].

Por otra parte, los patronos trataron al máximo de no ceder ante las reivindicaciones de los obreros, que, como siempre ocurre, consideraban injustificadas.

Por eso no es de extrañar que Taboada, al que ya hemos citado como cronista de la vida madrileña allá por los años de 1900, manifieste con ironía en uno de sus reportajes:

«Todos los días surge una huelga, y esto viene a demostrar que la situación del obrero no es del todo agradable.

Dicen los patronos que los obreros se quejan de vicio, pues están mejor que quieren.

—¿Qué les falta, vamos a ver?—exclaman—. ¿No cobran su jornal? ¿No tienen una horita de descanso para comer el cocido? ¡Y qué cocido! Da envidia verlos echados en el suelo, con su fuente delante y su servilleta blanquísima, saboreando los apetitosos y amarillos garbanzos» [29].

---

[28] En una huelga de cocheros en 1899 reclamando aumento de jornal, veamos cómo se comportan las autoridades:
«El alcalde de Madrid, señor Marqués de Aguilar de Campoo, está decidido a prestarles apoyo a los industriales... Hoy harán salir sus coches, guiados por nuevos cocheros, en su mayoría repatriados.» *El Globo*, 18 de marzo de 1899.
Y en otra de panaderos: «Un panadero huelguista censuró en su discurso a los concejales que en tiempo de elecciones andan tras de los obreros para obtener su voto, y una vez conseguido el triunfo no se ocupan de los intereses de aquéllos, y cuando lo hacen es para ponerse de parte de los patronos.» *El País*, 30 de julio de 1900.
[29] LUIS TABOADA, *op. cit.*, artículo titulado «Fin de los motines: procedimientos pacíficos de los modernos proletarios bien aprovechados por las chicas casaderas», pág. 47. Como puede verse, el cocido de los obreros madrileños debía de ser muy parecido al de la pensión de doña Casiana citado.

Capítulo III

LA VIVIENDA POPULAR MADRILEÑA

> ... Madrid está rodeado de suburbios, en donde viven peor que en el fondo de Africa un mundo de mendigos, de miserables, de gente abandonada.
> ¿Quién se ocupa de ellos? Nadie, absolutamente nadie. Yo he paseado de noche por las Injurias y las Cambroneras, he alternado con la golfería de las tabernas de las Peñuelas y los merenderos de los Cuatro Caminos y de la carretera de Andalucía. He visto mujeres amontonadas en las cuevas del Gobierno Civil y hombres echados desnudos al calabozo. He visto golfos andrajosos salir gateando de las cuevas del cerrillo de San Blas y les he contemplado cómo devoraban gatos muertos.
> ... Y no he visto a nadie que se ocupara en serio de tanta tristeza, de tanta lacería...
>
> BAROJA, Pío: «Crónica: Hampa». *El Pueblo Vasco*, 18-IX-1903. (Crónica recogida en *Hojas sueltas*, citado anteriormente, págs. 331-34, II.)

ALQUILERES-JORNALES.—VIVIENDA-MORTALIDAD.—
CARACTERÍSTICAS DE LA VIVIENDA POPULAR.—
POLÍTICA DE VIVIENDA

Uno de los aspectos de la vida madrileña que más fielmente reflejan las novelas de Baroja es el problema de la vivienda popular en el fin de siglo. El testimonio literario de Baroja se ve confirmado en libros, monografías, estudios y publicaciones de personas en su mayor parte muy relacionados con los problemas urbanos que Madrid planteaba ya como gran ciudad a finales de siglo. Hemos buscado también el eco de estos problemas en la Prensa y en el testimonio directo de muchos de los protagonistas, especialmente de los informadores que aportaron datos sobre el problema a la Comisión de Reformas Sociales en Informes orales y escritos. Con todo este material creemos haber reunido suficiente documentación para llegar al final a una serie de conclusiones básicas sobre los aspectos fundamentales del problema. También, como en capítulos anteriores, veremos que de la confrontación de los textos barojianos con datos tomados de otros autores y de publicaciones especializadas sobre el tema nacen coincidencias sorprendentes que revelan, sin lugar a dudas, la fidelidad de Baroja en este punto.

En cuanto nos ha sido posible hemos tratado de acompañar el texto con testimonios gráficos de la época. Consideramos que la documentación fotográfica en muchos casos es mucho más fiel y definitiva que todas nuestras palabras y que, desde luego, es en todo momento un complemento indispensable. En este sentido nos ha sido muy valiosa la obra del que fue director del Laboratorio Municipal, doctor César Chicote, hombre preocupado por los problemas que las condiciones de la mayor parte de las viviendas populares madrileñas planteaban a escala social, urbana y económica y que dedicó muchos años de su vida a estudiar el tema con exactitud y rigor. Nos ha sido de especial utilidad su obra *La vivienda insalubre en Madrid,* donde se recogen fotos abundantes sobre muchas de las descripciones de viviendas y barrios que conocíamos literariamente. Hemos tratado de reproducir aquí las que más se ajustan a las exigencias de nuestro texto.

Alquileres-jornales

Tratar de la vivienda popular en Madrid a finales de siglo creemos que presupone, necesariamente, antes de dar datos, condiciones y características de ella, hablar del precio de los alquileres de esta vivienda, volver a citar cuál era el salario medio de un obrero madrileño, establecer una relación alquiler-jornal y deducir de ello qué clase de población, sociológicamente hablando, habitaba las casas populares madrileñas.

CUADRO I.—Clasificación del vecindario de Madrid, por alquileres mensuales en cada uno de los Distritos municipales en diciembre de 1900.

PRECIO MENSUAL DE LAS HABITACIONES (Pesetas)	NUMERO DE HABITACIONES											TOTALES
	Palacio	Universidad	Centro	Hospicio	Buenavista	Congreso	Hospital	Inclusa	Latina	Audiencia		
De 2 a 5 inclusive	69	256	17	228	208	26	114	134	208	96		1.356
De 5 a 10 »	886	2.429	121	2.165	1.465	185	1.511	3.121	2.878	1.006		15.767
De 10 a 15 »	2.406	4.050	340	2.555	1.670	577	3.256	4.019	3.128	1.201		23.202
De 15 a 20 »	1.202	1.815	340	1.113	925	528	1.511	1.418	1.174	539		10.565
De 20 a 30 »	1.582	1.624	538	1.502	1.113	735	1.616	1.122	1.121	648		11.601
De 30 a 40 »	1.031	1.297	324	822	638	494	842	440	638	436		6.962
De 40 a 50 »	912	1.261	379	729	683	487	558	269	419	497		6.194
De 50 a 60 »	590	854	313	512	609	332	389	156	247	282		4.284
De 60 a 70 »	317	426	240	386	508	217	146	59	123	219		2.641
De 70 a 80 »	426	428	384	454	740	356	227	93	149	274		3.531
De 80 a 90 »	184	232	208	289	484	208	103	35	55	170		1.968
De 90 a 100 »	153	172	216	243	450	250	113	41	83	157		1.878
De 100 a 125 »	248	284	409	409	1.000	412	144	66	80	309		3.361
De 125 a 150 »	148	188	232	226	564	280	80	38	44	170		1.970
De 150 a 175 »	72	59	167	128	454	201	42	7	15	118		1.264
De 175 a 200 »	50	59	130	109	313	168	36	13	31	94		1.003
De 200 a 225 »	28	27	57	71	207	137	14	10	12	60		623
De 225 a 250 »	37	38	122	64	258	118	27	18	14	97		793
De 250 a 300 »	19	23	55	45	155	98	12	10	6	63		486
De 300 a 400 »	30	32	75	40	180	127	23	6	7	74		594
De 400 a 500 »	10	13	56	30	121	61	7	5	6	35		344
De 500 a 1.000 »	13	22	55	26	163	81	21	10	13	35		439
De más de 1.000 »	5	2	30	26	132	36	5	—	2	14		252
TOTALES	10.418	15.591	4.808	12.172	13.040	6.114	10.797	11.090	10.453	6.594		101.077

Poseemos datos sobre el precio de los alquileres madrileños en el año 1900 publicados por Hauser, que damos en el cuadro I[1].

De todas las estadísticas sobre alquileres que hemos encontrado quizá sea ésta la que más fielmente se ajuste, desde el punto de vista cronológico, a la época que estudiamos. De ella se puede deducir que los alquileres que van de 2 a 15 pesetas mensuales y de 15 a 20 representan aproximadamente el 50,34 por 100 del total.

Sobre alquileres tenemos datos estadísticos de años posteriores y se acusa en ellos un alza de precios sin que los salarios parezcan haber evolucionado al mismo ritmo[2]. Hemos dicho ya que el jornal de un obrero madrileño sin cualificar oscilaba entre las tres y cuatro pesetas diarias, lo que representaba un sueldo mensual entre 75 y 100 pesetas. Su insuficiencia determina las condiciones precarias de la mayor parte de las viviendas de Madrid.

Con dicho salario y a la vista del precio de los alquileres del cuadro I se comprende que no podía ser muy fácil para un obrero madrileño vivir en unas condiciones de morada aceptables. En consecuencia, estaba obligado a buscar alojamiento a tono con sus medios y así, como decía el doctor Chicote, en Madrid, el que alquilaba una vivienda insalubre era un ser rechazado por la sociedad, sin medios para luchar contra ella y, si se alojaba en una casucha, no era por cálculo, «sino porque las habitaciones de que hoy pueden disponer los dos tercios de las familias madrileñas, aproximadamente, además de ser escasas en número, son caras y son insalubres; es decir, que habita una casa mala porque no le es posible encontrar otra en las condiciones que reclama la salud y lo permiten sus medios de vida»[3].

[1] Philiph Hauser, *op. cit.*, I, pág. 494.

[2] Hemos encontrado precios de alquileres madrileños para el año 1905 en la obra de J. Francos Rodríguez, *op. cit.*, pág. 57. Del año 1910 en dos autores: Domingo Romero: *Contribución al estudio del problema de la vivienda en Madrid*, Madrid, 1935, y José Bravo Ramírez y Alberto León Peralta: *Escasez, carestía e higiene de la vivienda en Madrid*, Madrid, 1926. La consulta de estas obras nos ha demostrado, a través de estadísticas, que el problema de la vivienda madrileña en años posteriores a nuestro estudio apenas cambia, presentando análogas características.

[3] César Chicote: *La vivienda insalubre en Madrid*, Madrid, Imprenta Municipal, 1914, pág. 23.

Igualmente opinaba Francos Rodríguez cuando ponía el ejemplo de un obrero con esposa y cuatro hijos que ganaba tres pesetas diarias y no podía alquilar una habitación cuya renta fuese menor de 20 pesetas mensuales porque no la encontraba [4]. Los propios obreros madrileños en sus informes a la Comisión de Reformas Sociales nos hablan con toda claridad de este angustioso problema de la vivienda: «Los obreros viven en los sotabancos o en las buhardillas de las casas habitadas por las demás clases; pero estas buhardillas, además de malsanas, porque son faltas de ventilación y estrechas, son caras, y para poder pagarlas tienen que asociarse dos familias y vivir juntas en la habitación donde apenas habría sitio para una sola» [5].

Si el jornal de un cajista de imprenta era por término medio de 14 ó 15 reales, suponiendo que tuviera tres o cuatro de familia, ¿qué cantidad debía dedicar a alquiler de casa para vivir «con aseo, para no estar unos encima de otros»?, pregunta Gómez Latorre, tipógrafo, a la Comisión. Una habitación con cocina, sala y dos alcobas, no costaba menos de seis duros... y «teniendo en cuenta el precio de los artículos de consumo, el vestido y otras atenciones de la familia, decidme si le es posible al tipógrafo habitar un cuarto que le cueste seis duros al mes» [6].

Naturalmente, había alquileres más baratos, pero las condiciones eran ya totalmente infrahumanas. Baroja al hablarnos de la casa de vecindad donde transcurren parte de las aventuras de *La busca* nos dice que en el patio interior los cuartos costaban mucho menos que en el grande que «los había de dos y tres pesetas al mes: chiscones oscuros, sin ventilación alguna, construidos en los huecos de las escaleras y debajo del tejado» [7].

En la información detallada y rigurosa que sobre la vivienda madrileña presentó a la Comisión Serrano Fatigati se dice que los precios de los cuartos interiores solían oscilar entre 15 y 25 pesetas mensuales y rara vez constaban de más de cinco o seis piezas pequeñísimas. A los obreros alojados con familias en las

---

[4] FRANCOS RODRÍGUEZ, *op. cit.*, pág. 54.
[5] *Comisión Reformas Sociales*, I, pág. 222. El que pronuncia estas palabras es el señor Ordóñez, encuadernador.
[6] *Comisión de Reformas Sociales*, I, pág. 44. Véase reproducido en *Revista de Trabajo*, núm. 25, Madrid, 1969, pág. 219. Selección y notas de MARÍA DEL CARMEN IGLESIAS y ANTONIO ELORZA, págs. 161-492.
[7] *La busca*, O. C., I, 292.

81

habitaciones descritas que se encontraban dentro de los límites de la antigua Ronda, se les hacía pagar de 10 a 12 pesetas.

En Peñuelas se encontraban a seis y siete pesetas cuartos, pero, aun así, el precio del alquiler se elevaba a un 20 por 100 del jornal que percibían los peones albañiles o categorías análogas de otros oficios [8].

Todavía existían peores condiciones de escasez y hacinamiento, como veremos más adelante, ya que había formas humanas de alojamiento en el Madrid fin de siglo que presentaban aspectos totalmente primitivos; pero por el momento podemos ir adelantando que si la vivienda popular madrileña presentaba estas características era debido a factores puramente económicos: lo ínfimo de los jornales y la falta de viviendas baratas aptas para ser habitadas en condiciones aceptables por las clases populares.

Vivienda-mortalidad

El contingente humano de las casas de vecindad, guardillas y sotabancos de las casas corrientes, chabolas y chozas, era muy heterogéneo, pero un índice fuerte de él correspondía a la clase obrera. No poseemos datos exactos de esta población más que en lo relativo a las casas de vecindad o de corredor, que daremos más adelante, pero las demás casas populares creemos que las habitaban en su mayor parte proletariado o clases poco pudientes. Entre esta masa de población la mortalidad era superior a la de las demás clases sociales. Para convencerse de ello sólo era necesario comparar las defunciones por cada mil habitantes en los barrios donde predominaban las gentes pobres (Latina, Inclusa...) con las cifras de los barrios poblados por personas ricas o clase media (Centro, Buenavista...). Como testimonio recogemos en el cuadro II una estadística de mortalidad por barrios madrileños a causa de difteria en los años 1887-1888.

---

[8] *Comisión de Reformas Sociales.* Información escrita, Madrid, 1890, tomo II, pág. 71. Serrano Fatigati es de los informantes por el Ateneo de Madrid. Véase su informe casi completo en *Revista del Trabajo,* antes citada, págs. 305-13.

Baroja, como Serrano, señala que en el patio grande de la piltra del Tío Rilo los cuartos costaban «veinte y treinta reales». *La busca,* O. C., I, 292.

CUADRO II.—Estadística de mortalidad por barrios a causa de
difteria en los años 1887-1888.

BARRIOS	Número habitantes	Mortalidad por 1.000
Embajadores	3.993	11,76
Humilladero	4.109	9,97
Comadre	4.078	9,31
Solana	3.149	8,77
Valencia	9.620	8,52
Puente Toledo	11.744	7,91
Quiñones	3.807	7,88
Caravaca	5.552	7,74
Dos de Mayo	5.617	7,65
Arganzuela	4.862	7,61
Corredera	6.000	7,50
Alamo	4.169	6,95
Rubio	4.350	6,66
Chamberí	33.272	6,31
Huerta del Bayo	4.921	6,09
Daoíz	7.803	6,01
Argüelles	16.514	5,98
Amaniel	5.782	5,87
Peñuelas	13.848	5,06
Delicias	12.871	4,81
Pozas	29.288	4,67
Caballero de Gracia	3.036	4,28
Salamanca	16.208	3,82
Florida	7.533	3,58
Puerta del Sol	2.386	3,35
Bordadores	2.256	3,10
Espejo	1.966	3,05
Pez	2.646	3,02
Plaza de Toros	21.524	3,01
Belén	12.415	2,98
Carrera de San Jerónimo	2.400	2,91
San Marcos	2.636	2,65
Santa Bárbara	3.500	2,57
Descalzas	1.947	2,56
Puerta Cerrada	2.374	2,52
Constitución	2.476	2,42
Desengaño	2.566	2,33
Atocha	3.253	2,15
Barco	2.900	2,06
Príncipe	1.952	2,04
Angel	2.953	2,03
Postigo	1.955	2,03
Gobernador	4.538	1,98
Reina	5.100	1,76
Progreso	2.971	1,67
Cruz	2.395	1,66
Isabel II	4.452	1,57
Cortes	2.705	1,47
Colmillo	2.890	1,38
Lobo	2.943	0,68 [9]

[9] Ph. Hauser, *op. cit.*, II, pág. 84.

Si observamos detenidamente el plano de Madrid vemos cómo los barrios de mortalidad máxima formaban una especie de cinturón alrededor del centro de la ciudad. Unos eran los barrios más bajos de la villa, los situados a poca distancia del Manzanares, los barrios de *La busca* barojiana; los otros eran barrios nuevos, de construcción moderna, situados en la zona norte de Madrid, casi todos formados por casitas de un solo piso, habitadas en general por obreros, rodeadas de jardín, pero desprovistas de alcantarillas y mal abastecidas de agua. Ambos eran barrios populares y en ellos las enfermedades hacían blanco con mayor intensidad.

Así, en las cifras de mortalidad del año 1900 al distrito de la Inclusa, el más miserable de los madrileños, correspondía en el total de las defunciones un 37,9 por 1.000 habitantes y al de Centro, habitado por gente acomodada y menos congestionado, un 19,6 [10].

La capital española, como hemos visto al tratar del alcantarillado y de las basuras, era un terreno abonado a todos los gérmenes infecciosos, pero se hacía especialmente sensible a ellos en estos barrios populares en donde a la pobreza y miseria orgánica se superponía la aglomeración de las viviendas. De esta forma la casa se convertía en un foco continuo de insalubridad y por ello de enfermedad y muerte. Para el jornalero todo lo que le rodeaba durante las veinticuatro horas del día, ropas, ambiente de la fábrica o taller, era motivo de infección o enfermedad, pero nada era comparable a la atmósfera malsana que reinaba en su casa. «En ésta, sobre 20 metros superficiales de suelo y un volumen de aire insuficiente, permanecía largas horas una familia compuesta de cinco o seis individuos que, aunque tuviesen temperamento sano y fuerte, no tardaban en perder la salud y entonces la existencia de un solo enfermo en una atmósfera pobre en oxígeno precipitaba la muerte del enfermo y favorecía la presencia de nuevos casos en los que le rodeaban» [11].

Esto resultaba rigurosamente cierto en un examen de 500 viviendas que Serrano Fatigati llevó a cabo. Según dicho aná-

[10] RICARDO REVENGA, *op. cit.*, pág. 45.
[11] LÓPEZ SALLABERRY y FRANCISCO ANDRÉS OCTAVIO: *Memoria del proyecto sobre reforma de la prolongación de la calle de Preciados y enlace de la plaza del Callao con la calle de Alcalá,* Madrid, 1901, página 12.

lisis los barrios de Madrid donde preponderaban los obreros carecían de limpieza, higiene y de toda clase de condiciones para ser habitados, poniendo en peligro la salud y la vida de sus habitantes. Había «bastantes habitaciones compuestas por dos piezas, donde están amontonados cuatro o cinco personas, y muchas de una sola para alojar el mismo número de individuos». La mayor parte de estas habitaciones se ventilaban a través de patios y corredores, por lo que el aire se renovaba difícilmente y se formaba en los cuartos un olor insoportable.

Otras casas obreras, situadas en los interiores de las casas acomodadas, estaban a lo largo de corredores y galerías que comunicaban con patios estrechos y mal ventilados, con lo que sus condiciones higiénicas eran también deplorables [12].

Se sabía, y eran hechos reconocidos en los Congresos de Saneamiento y Salubridad de Ginebra, que la propagación de la tuberculosis, anemia, raquitismo, reumatismo, miseria fisiológica se debía en gran parte «a la falta de aire, luz y sol en las viviendas» [13], y en estas 500 casas, como se ve, se daban esas circunstancias negativas.

Sin embargo, lo peor era que estas condiciones de insalubridad que arrojaban una mortalidad elevada entre las clases populares no afectaban a una pequeña parte de Madrid, sino casi a la mitad de su área urbana. Dividido Madrid en 100 barrios, como ya sabemos, podría clasificarse la ciudad de la siguiente forma:

Barrios muy salubres, cuya mortalidad no excedía de 17 por 1.000: 7.

Barrios salubres, con una mortalidad comprendida entre 17 y 22 por 1.000: 22.

Barrios poco salubres, con una mortalidad entre 22 y 28 por 1.000: 26.

Barrios insalubres, con mortalidad de un 28 a un 35 por 1.000: 25.

Barrios muy insalubres, que exceden del 35 por 1.000: 20 [14].

[12] *Comisión de Reformas Sociales,* II, pág. 70. Véase *Revista de Trabajo,* ant. cit., pág. 307.
[13] PEDRO NÚÑEZ GRANÉS: *Proyecto para la urbanización del extrarradio de dicha villa,* Madrid, 1910, pág. 32.
[14] M. MELGOSA, *op. cit.,* pág. 83.

Es decir, 45 barrios—casi la mitad del área urbana—resultaban con condiciones deplorables para la vida humana y puede añadirse que en estos 45 aproximadamente se aglomeraba la población obrera y desvalida madrileña en su mayoría, con lo cual su índice de mortalidad tenía que ser necesariamente más elevado que el de las otras clases sociales.

Características de la vivienda popular

Esta vivienda madrileña insalubre presentaba una serie de características que la definían y la distinguían claramente de las casas acomodadas de la clase media o clases superiores. En un intento de clasificación de los distintos tipos de vivienda popular tendríamos que empezar describiendo las chozas del extrarradio madrileño de la época y terminar con las casas de corredor o vecindad.

Las chozas madrileñas de las afueras constituían la manifestación más primitiva de la vivienda. Según Chicote, su número pasaba de 2.000 [15]. Estaban construidas con barro y con materiales de relleno y cerradas con un tejado de lata. Aparecen fotografías de ellas en la obra de Chicote.

Su población era muy numerosa, aunque su existencia constase solamente en «las casas de socorro, en los hospitales y en el cementerio, pues es dudoso que la estadística llegase con su empadronamiento hasta estos antros urbanos». Los seres humanos que las poblaban constituían, por tanto, grupos marginados socialmente, difíciles de encajar en una clasificación sociológica que no sea la de subclase. Las chozas eran una gran vergüenza y un peligro para Madrid y no cabía otra solución práctica y eficaz más que arrasarlas, «medida irrealizable..., pues se trata de gentes pobrísimas que carecen de medios para alquilar viviendas por económicas que sean» [16].

A juzgar por las fotografías que hemos encontrado se extendían por una amplia área del suburbio: la calle de Magallanes, altos de la Moncloa, Vallehermoso, arroyo de Embajadores y calle de las Peñuelas.

---

[15] CÉSAR CHICOTE, *op. cit.*, pág. 35.
[16] CÉSAR CHICOTE, *op. cit.*, pág. 43. En *Nuevo Mundo,* 15 de octubre de 1915, hay también fotos de estos «aduares madrileños».

Chozas existentes en el Arroyo de Embajadores. *Distrito de la Inclusa.*
Mortalidad del barrio: 40,32 por 1.000.

(Foto tomada de César Chicote, *op. cit.*, pág. 40.)

Baroja nos habla de otra forma de «habitat» urbano más primitivo aún que estas chozas suburbanas: las viviendas trogloditas de la Montaña del Príncipe Pío. Hacia esas cuevas se dirigen en una noche de invierno a refugiarse del frío, Manuel, protagonista de *La lucha por la vida*, y el *Bizco*, personaje extraordinario de la obra, prototipo del hombre encanallado, marginado, criminal, que termina sus días trágicamente. Cuenta el autor cómo desde Puerta de Moros salen al Viaducto, cruzan la plaza de Oriente y siguiendo las calles de Bailén y Ferraz llegan a la Montaña del Príncipe Pío, por donde suben entre pinos jóvenes:

> «A oscuras anduvieron ,el *Bizco* y Manuel de un lado a otro, explorando los huecos de la Montaña, hasta que una línea de luz que brotaba de una rendija de la tierra les indicó una de las cuevas.
>
> Se acercaron al agujero; salía del interior un murmullo interrumpido de voces roncas.
>
> A la claridad vacilante de una bujía, sujeta en el suelo entre dos piedras, más de una docena de golfos, sentados unos, otros de rodillas, formaban un corro jugando a las cartas. En los rincones se esbozaban vagas siluetas de hombres tendidos en la arena.
>
> Un vaho pestilente se exhalaba del interior del agujero.
>
> ... Manuel pensó haber visto algo parecido en la pesadilla de una fiebre» [17].

Las cuevas, que como se ve eran aún peores que las chozas, agrupaban, como cuenta Baroja, a una población de golfos y maleantes. No hemos podido encontrar fotos de ellas pero sí la de un tipo encanallado de los que las habitaban reproducido por Bernaldo de Quirós en su estudio sobre *La mala vida en Madrid*.

También en la Prensa hemos hallado noticias sobre las cuevas. Dice un periódico en 1902 que si los dedicados a la filantropía se dedicasen a visitar las viviendas trogloditas no podrían vivir después tranquilos tras tamaño espectáculo: «Allí se hacinan en un espacio pestilente y sucio gran número de desgra-

---

[17] *La busca*, O. C., I, 361.

ciados de ambos sexos, formando una rueda en que las piernas de unos tocan las cabezas de los otros, constituyendo todos una masa informe, un montón de carne palpitante, que respira en una atmósfera nauseabunda los gérmenes de la decadencia física y la inmoralidad» [18].

Además de las chozas y cuevas hay que citar una serie de casuchas que formaban barriadas miserables, casi todas en el extrarradio, y que son mencionadas continuamente por Baroja, especialmente en *La busca*. Estas barriadas eran principalmente: La Elipa, los tejares de Sixto, la Casa Blanca, la Casa del Cabrero, el barrio de las Injurias y Perico el Gordo. De todas ellas hay fotos en la obra de César Chicote.

Todas las casas de estas barriadas eran de planta baja, teniendo la mayoría de ellas un solo retrete para todas las familias [19]. De algunas de ellas Baroja nos da datos interesantes sobre su población y forma de vida, por ejemplo, sobre la Casa del Cabrero. Vamos a dejarle la palabra describiéndonos el barrio y sus habitantes:

«Llamaban así a un grupo de casuchas bajas, con un patio estrecho y largo en medio. En aquella hora de calor, a la sombra, dormían como aletargados, tendidos en el suelo, hombres y mujeres medio desnudos. Algunas mujeres, en camisa, acurrucadas y en corro de cuatro o cinco, fumaban el mismo cigarro, pasándoselo una a otra y dándole cada una su chupada.

Pululaba una nube de chiquillos desnudos, de color de tierra, la mayoría negros, algunos rubios, de ojos azules. Como si sintieran ya la degradación de su miseria, aquellos chicos no alborotaban ni gritaban» [20].

Sin darnos datos específicos sobre su ocupación la descripción barojiana es enormemente rica en sugerencias: todos los habitantes del barrio pertenecían a una ínfima clase social, tarados por una miseria orgánica que dejaba lastradas, por ejem-

---

[18] *El Globo*, 2 de noviembre de 1902.
[19] César Chicote, *op. cit.*, pág. 48.
[20] *La busca*, O. C., I, 289.

Casa del Cabrero. Distrito de la Inclusa. Mortalidad del barrio: 40,32 por 1.000.

(Foto tomada de CÉSAR CHICOTE, *op. cit.*, pág. 46.)

Casa Blanca. Distrito de la Inclusa. Mortalidad del barrio: 40,32 por 1.000.

(Foto tomada de CÉSAR CHICOTE, *op. cit.*, pág. 45.)

plo, a las mujeres desde los diez años con las huellas de la prostitución, como indica el autor en párrafos posteriores.

La Casa del Cabrero es citada varias veces en *La busca,* siempre en función de los mismos personajes marginados. Con ella aparece la Casa Blanca, que, por lo que describe Baroja, no debía de estar lejos, pues para llegar hasta ella desde allí sólo era necesario bajar una hondonada y después pasar una «valla alta y negra». La barriada «era como una aldea pobre, de una calle sola». En este barrio es donde Vidal, primo de Manuel, habita en compañía de su amante, «vendedora de periódicos y buscona al mismo tiempo» mientras se dedica al robo y al asalto de casas abandonadas con Manuel y el *Bizco.* Su casa «era un cuarto estrecho, con un colchón puesto sobre los ladrillos» [21].

De las Injurias existen también numerosas descripciones de Baroja, pero quizá ninguna es tan expresiva como la que hace de sus habitantes: «El barrio de las Injurias se despoblaba, iban saliendo sus habitantes hacia Madrid... Era gente astrosa: algunos, traperos; otros, mendigos; otros, muertos de hambre; casi todos de facha repulsiva Era una basura humana, envuelta en guiñapos, entumecida por el frío y la humedad, la que vomitaba aquel barrio infecto. Era la herpe, la lacra, el color amarillo de la terciana, el párpado retraído, todos los estigmas de la enfermedad y la miseria» [22].

Como puede deducirse, las características de las viviendas de estos barrios eran muy semejantes tanto en el aspecto puramente externo como en el humano. Chicote advierte que en todas las casas de ellos los defectos más notorios eran la falta de luz solar y la insuficiente cubicación de las habitaciones. La clase pobre que habitaba estas viviendas sin cubicación suficiente, por pequeñez o por hacinamiento, «consigue vivir—dice—porque afortunadamente las puertas y ventanas nunca cierran herméticamente y el aire viciado se renueva poco a poco; pero, aun así, su influencia sobre la salud es verdaderamente desastrosa» [23].

Muy parecidas a las barriadas que acabamos de citar, pero con más pretensiones en la construcción de sus viviendas, por

---

[21] *La busca,* O. C., I, 353.
[22] *Mala hierba,* O. C., I, 461.
[23] César Chicote, *op. cit.,* pág. 88.

tener las casas dos o más pisos y por existir en su trazado algún plan, eran las viviendas de la Prosperidad, la Guindalera y los Cuatro Caminos, formadas «por calles estrechas y defectuosas construcciones» [24].

Desde ahí, ya pasando al interior de Madrid, tenemos como vivienda popular, quizá prototípica, las casas de vecindad o corredor, muchas de ellas, como la de la narración barojiana, situadas en las rondas o sus cercanías. Estas casas de vecindad estaban diseminadas por casi todos los distritos de la capital y su distribución venía a ser la siguiente:

DISTRITOS	Número de casas	Número de habitantes
Inclusa	120	15.267
Latina	89	11.553
Universidad	78	8.142
Hospital	54	6.825
Buenavista	25	2.114
Audiencia	24	3.249
Hospicio	24	2.814
Palacio	23	2.387
Centro	1	170
Congreso	—	—
TOTAL	438	52.521 [25]

En total representaban 438 casas con un total de 52.521 habitantes, es decir, que correspondía a cada casa un promedio de 1.200 personas. El hacinamiento era, por tanto, su característica más sobresaliente. En los distritos de Hospital, Inclusa y Latina había doce casas, que en total albergaban una población de 6.235 personas:

SITUACION	Número de habitantes
Paseo de las Delicias, núm. 7	376
Paseo de Santa María de la Cabeza, núm. 10.	321
Calle de Méndez Alvaro, núm. 16	625
Calle de Lavapiés, núm. 36	335

[24] CÉSAR CHICOTE, op. cit., pág. 48.
[25] HAUSER, op. cit., I, págs. 290 y sgs. La misma distribución recoge el doctor Chicote.

Vista general del *Barrio de las Injurias*. Distrito de la Inclusa. Mortalidad del barrio: 40,32 por 1.000.

(Foto tomada de *Nuevo Mundo,* 6 de septiembre de 1906, núm. 661.)

Una calle del *Barrio de las Injurias*.

(Foto tomada de *Nuevo Mundo,* núm. cit. ant.)

SITUACION	Número de habitantes
Calle del Pacífico, núm. 32	320
Plaza de Lavapiés	450
Calle del Olivar, núm. 15	406
Carrera de San Francisco, núm. 8	345
Ronda de Valencia, núm. 10	340
Ronda de Segovia, núm. 11	493
Ronda de Segovia, núm. 13	340
Ronda de Segovia, núm. 37	765 [26]

Completando esta información podríamos añadir el apéndice que Serarno Fatigati presentó a la Comisión de Reformas Sociales dando las señas de 200 casas dispersas por Madrid, todas comprendidas en los límites de la antigua Ronda, que encerraban 3.500 habitaciones y unos 12.000 individuos en total. Lo insertamos como Apéndice del capítulo.

El aspecto de estas casas de corredor era en todas muy parecido. Se componían en general de un número bastante grande de habitaciones o cuartos, distribuidos en una o dos piezas con poca luz. La mayor parte de ellas estaban provistas de patio donde había una fuente de agua para todos los vecinos, existiendo otras que ni siquiera tenían fuente y había que ir por agua a una fuente pública próxima [27].

Dice Baroja, refiriéndose al Corralón, casa de vecindad que él sitúa en el Paseo de las Acacias, que «hallábase el patio siempre sucio; en su ángulo se levantaba un montón de trastos inservibles, cubierto de chapas de cinc; se veían telas puercas y tablas carcomidas, escombros, ladrillos, tejas y cestos; un revoltijo de mil diablos. Todas las tardes algunas vecinas lavaban en el patio, y cuando terminaban su faena vaciaban los lebrillos en el suelo, y los grandes charcos, al secarse, dejaban manchas blancas y regueros azules de agua de añil. Solían echar también los vecinos por cualquier parte la basura, y cuando llovía, como se obturaba casi siempre la boca del sumidero, se producía una pestilencia insoportable de la corrupción del agua negra que inundaba el

---

[26] CÉSAR CHICOTE, op. cit., pág. 30.
[27] HAUSER, op. cit., I, pág. 289, y CHICOTE, op. cit., pág. 29.

91

patio, y sobre el cual nadaban hojas de col y papeles pringosos» [28].

Nada más realista y a la vez exacto que esta descripción literaria. Estas casas se hallaban en las más deplorables condiciones higiénicas. Todas carecían de aseo y limpieza, unas tenían una sola fuente para toda la casa y un solo retrete para cada piso; muchas carecían «de agua y hasta de luz, y no eran aptas para ser habitadas por seres humanos» [29].

Las poblaban familias más o menos numerosas, que tomaban huéspedes por no poder pagar solas el alquiler mensual de cinco o seis pesetas. A veces había seis u ocho personas que ocupaban dos piezas pequeñas con una cocina rudimentaria. Por ejemplo, en el Corralón de *La busca,* la casa del señor Ignacio «la componían dos alcobas, una sala, la cocina y un cuarto oscuro» [30], y vivían en este espacio el matrimonio, los dos hijos, Vidal y Leandro, y Manuel cuando viene a trabajar con ellos.

Cada vecino contaba con la parte de la galería que ocupaba su casa y por «el aspecto de este espacio—dice Baroja—podía colegirse el grado de miseria o relativo bienestar de cada familia, sus aficiones y sus gustos.

...Cada trozo de galería era manifestación de una vida distinta dentro del comunismo del hambre; había en aquella casa todos los grados y matices de la miseria: desde la heroica, vestida con el harapo limpio y decente, hasta la más nauseabunda y repulsiva» [31].

Desde el punto de vista social los habitantes de estas casas de vecindad pertenecían a la clase obrera o eran indigentes que no tenían más que un salario mezquino o medios insuficientes para pagar el alquiler de una vivienda decente. Dice Hauser que la población de las casas de vecindad de Madrid se componía en su mayoría «de la clase jornalera, de empleados cesantes, de vendedores ambulantes, de barrenderos y de traperos» [32].

Baroja, coincidiendo en lo esencial con el higienista austríaco, profundiza más aún en su descripción:

«Era la Corrala un microcosmo; se decía que puestos en

---

[28] *La busca,* O. C., I, 291.
[29] HAUSER, *op. cit.,* I, pág. 289.
[30] *La busca,* O. C., I, 287.
[31] Idem, O. C., I, 291-92.
[32] HAUSER, *op. cit.,* I, pág. 290.

Callejón del Mellizo. Interior de la *casa de vecindad,* núm. 4, duplicado. *Distrito de la Latina,* barrio de la Arganzuela. Mortalidad del barrio: 38,18 por 1.000.

«Hallábase el patio siempre sucio, en su ángulo se levantaba un montón de trastos inservibles, cubierto de chapas de cinc; se veían telas puercas y tablas carcomidas, escombros, ladrillos, tejas y cestos; un revoltijo de mil diablos... (PÍO BAROJA, *La busca,* O. C., I, 291.)

(Foto tomada de CÉSAR CHICOTE, *op. cit.,* pág. 75.)

hilera los vecinos llegarían desde el arroyo de Embajadores a la plaza del Progreso; allí había hombres que lo eran todo y que no eran nada: medio sabios, medio herreros, medio carpinteros, medio albañiles, medio comerciantes y medio ladrones.

Era, en general, toda la gente que allí habitaba gente descentrada, que vivía en el continuo aplanamiento producido por la eterna o irremediable miseria; muchos cambiaban de oficio, como un reptil de piel; otros no lo tenían; algunos peones de carpintero, de albañil, a consecuencia de su falta de iniciativa, de comprensión y de habilidad, no podían pasar de peones. Había también gitanos, esquiladores de mulas y de perros, y no faltaban cargadores, barberos ambulantes y saltimbanquis» [33].

En otra descripción de una casa de vecindad madrileña al referirse a sus habitantes dice Baroja «que pasaban por ella una porción de tipos extraños del hampa y la pobretería madrileña: una vieja alcohólica, una que pide limosna una patrona de huéspedes, un cesante...» [34].

Podemos concluir que en general los habitantes de estas casas eran gente que ganaba un jornal escaso o que carecía de medios suficientes para pagar un alquiler mensual que pasase de cinco o seis pesetas, habiendo inquilinos que vivían en compañía de dos o tres familias, o que subalquilaban a una o más personas una pieza o una o dos camas dentro de la misma pieza. En conjunto, pues, pertenecían en su mayoría a una clase que podríamos calificar más de subproletariado que de proletariado propiamente dicho. A él se añadían esas figuras indigentes y abandonadas, de, como dice Baroja, «el hampa y la pobretería madrileña» que escapan a toda clasificación sociológica.

Como corroboración de lo dicho, en el cuadro III damos una estadística oficial de 1898, recogida por Hauser (que nosotros hemos transcrito en porcentajes), donde aparecen el número de jornaleros, cesantes y vendedores de cada uno de los distritos municipales, junto con las casas de vecindad de los mismos y su número de habitantes:

---

[33] *La busca*, O. C., I, 293.
[34] *El árbol de la ciencia*, O. C., II, pág. 488.

CUADRO III.—Estadística oficial de 1898 relativa al número de jornaleros, cesantes y vendedores de cada uno de los distritos municipales, junto con las casas de vecindad de los mismos y su número de habitantes con sus porcentajes respectivos [35]

| DISTRITOS | EMPLEOS | | | | | | NUMERO DE CASAS DE VECINDAD | | NUMERO DE SUS HABITANTES | |
| | JORNALEROS | | EMPLEADOS CESANTES | | VENDEDORES AMBULANTES | | | | | |
	Número	%	Número	%	Número	%	Número	%	Número	%
Palacio	5.878	11,30	629	12,31	84	10,85	23	3,72	2.387	4,54
Universidad	7.003	13,46	803	15,71	77	9,94	78	12,62	8.142	15,50
Centro	1.411	2,71	327	6,40	16	2,06	1	0,16	170	0,32
Hospicio	6.640	12,77	603	11,80	57	7,36	24	3,88	2.814	5,35
Buenavista	2.713	5,21	905	17,71	14	1,80	25	4,04	2.114	4,02
Congreso	1.885	3,62	398	7,79	8	1,03	—	—	6.825	12,99
Hospital	7.205	13,85	501	9,80	104	10,67	54	8,73	15.267	10,02
Inclusa	7.557	14,53	336	6,57	206	26,61	121	19,57	11.553	21,99
Latina	8.007	15,40	312	6,10	178	22,99	268	43,36		
Audiencia	3.694	7,10	295	5,77	30	3,87	24	3,88	3.249	6,18
TOTAL	51.993		5.109		774		618		52.521	

[35] HAUSER, op. cit., I, pág. 290.

Calle del Rosario. Interior de la casa núm. 19. *Distrito de la Latina*. Mortalidad del barrio: 39,69 por 1.000.

(Foto tomada de CÉSAR CHICOTE, *op. cit.*, pág. 87.)

Calle de Mira el Río Alta. Interior de la casa número 8. *Distrito de la Latina*, barrio de la Arganzuela. Mortalidad del barrio: 38,18 por 1.000.

(Foto tomada de CÉSAR CHICOTE, *op. cit.*, pág. 86.)

Quizá ambas fotos corresponden a alguna de las casas que en las citadas calles señala Serrano Fatigati en el Apéndice que incluimos. La numeración no coincide, pero hay que tener en cuenta que es del año de la publicación de la obra de Chicote; por tanto, de veintitantos años más tarde, y en ese tiempo podían haberse producido alteraciones en el orden numérico de las casas.

Del cuadro resulta que en los distritos donde predominaba el número de empleados, cesantes y jornaleros es donde había gran número de casas de vecindad: eran los barrios bajos o populares donde estaban la mayor parte de las casas de corredor y donde también se aglomeraba la mayoría de la clase obrera. La coincidencia de estas casas con los distritos predominantes en proletarios y cesantes prueba, como añade Hauser, que las casas de vecindad respondían «a una necesidad aflictiva, inherente a la situación económica deplorable de más de una décima parte de la población de Madrid» [36].

Política de vivienda

Ante el panorama desolador que presenta la vivienda madrileña en estos años, cabe preguntarse si el Gobierno, que conocía el problema, no hizo nada para solucionarle creando nuevos barrios populares, tirando y derribando casas inhabitables y construyendo nuevas. La solución del problema de la vivienda sólo podía hacerse por vía legislativa, con una acertada política económico-social en pro del mejoramiento de la vivienda popular. Nada se hizo hasta el año 1911, que se dictó una ley para la construcción de casas baratas, ley que dos años más tarde todavía no había dejado sentir sus efectos.

El Ayuntamiento, en el entretanto, había tratado de contribuir al mejoramiento de la vivienda dictando Ordenanzas sobre medidas de higiene, salubridad, altura de los edificios, distribución de los pisos, etc. Quizá su contribución más eficaz fue la creación en 1905 del servicio de empadronamiento sanitario de las viviendas, del cual decía Chicote que «era el único medio de llegar a un conocimiento completo de las habitaciones insalubres, de las que son corregibles y de las que no admiten remedio alguno» [37]. A través de este conocimiento directo de las condiciones deplorables de las viviendas, el Ayuntamiento contribuyó a mejorar en algo muchas barriadas, ensanchando calles, obligando a derribar casas viejas y ruinosas y mejorando otras exterior e interiormente. De las mejoras hubo dos de carácter radical, según Chicote: la desaparición de una serie de casuchas llamadas

---

[36] Hauser, *op. cit.*, I, pág. 293.
[37] César Chicote, *op. cit.*, pág. 96.

Tapón del Rastro y la apertura de las obras de la Gran Vía, que, aunque hoy pueda criticarse justamente en su trazado, afectó, con sus derribos, a 48 calles e hizo desaparecer 14 de ellas, de las más sórdidas, y 315 casas en las mismas condiciones [38].

Fuera de estas medidas el resto del problema o se dejó caer en el olvido o se puso en manos de la iniciativa privada o de la caridad.

La iniciativa privada abordó el asunto tímidamente en el año 1875 con la formación de una sociedad llamada «La Constructora Benéfica», que tenía como objetivo construir casas para la clase obrera por un módico alquiler y con posibilidades de adquirirlas en propiedad. El precio mensual del alquiler era de 20 pesetas, y los plazos para amortización, de ocho, doce, dieciséis y veinte años.

En el informe que «La Constructora Benéfica» presentó a la Comisión de Reformas Sociales se habla de que la asociación hasta entonces había construido 52 viviendas y de que cinco inquilinos habían llegado ya a convertirse en propietarios. Hauser amplía esa cifra, más tarde, hasta 20, y habla de 48 casas construidas en el barrio del Pacífico, en la calle de la Caridad, y 18 en los Cuatro Caminos, en el barrio de Bellas Vistas [39].

Estas casas de Pacífico constaban de un recibimiento, un cuarto pequeño para guardar ropas o herramientas, cocina y patio en la planta baja y un saloncito y dos alcobas en el principal [40]. El precio era de 4.250 pesetas, amortizables hasta en veinte años y con un interés anual del 6 por 100 del capital.

Esta sociedad constructora funcionaba a todas los efectos como una asociación de caridad, pues el motivo que originó su fundación fue dar aplicación a un donativo de 30.000 pesetas, hecho en París para los pobres españoles por la Condesa de Kresinscky, y a otro legado para casas de trabajadores hecho en testamento por Gertrudis Gómez de Avellaneda. A estos desembolsos iniciales vinieron luego a sumarse más, y la Constructora Benéfica funcionaba con la prestación gratuita de servicios por todos los miembros de la Junta directiva, hasta incluso en el asesoramiento de ingenieros y arquitectos de las obras.

---

[38] César Chicote, *op. cit.*, pág. 97.
[39] Hauser, *op. cit.*, I, pág. 326.
[40] *Comisión Reformas Sociales*, II, pág. 70, y véase *Revista del Trabajo*, antes citada, pág. 306.

Además de esta sociedad de caridad empezó a funcionar en Madrid, casi por las mismas fechas, en 1873, otra sociedad cooperativa llamada «El Porvenir del Artesano». Su objetivo era construir casas obreras para los socios que la constituían dentro de la zona del ensanche de la capital. Había tres tipos de edificaciones de 7.800, 5.200 y 2.600 pesetas, respectivamente. Las primeras costaba su amortización tres pesetas semanales, dos las segundas y una la tercera. Los resultados prácticos de esa cooperativa, según Hauser, se desconocían y parece que la empresa fracasó por disensiones entre los socios [41].

Otro proyecto, de carácter ya puramente privado y lucrativo, era el barrio construido por Angel del Valle y Pozas en Vallehermoso, donde había habitaciones de 30, 35, 40, 45 y hasta 50 reales. Por 30 reales había pisos de dos piezas y por 40, de tres, ventiladas, y eso mismo costaba en cualquier otro sitio de Madrid cuatro o cinco duros y sin ventilación alguna. En total parece que el proyecto abarcaba unas 200 habitaciones nada más [42].

Fuera de estas tentativas hubo dos proyectos de construcciones económicas que no llegaron a cuajar: el sistema Belmás, que consistía en pequeñas construcciones económicas esparcidas por la capital sin formar barrios obreros, y otro, de un tal señor Rebolledo sobre viviendas obreras [43]. Ambos quedaron en proyectos frustrados y la única tentativa que llegó a tener éxito y a prosperar en una serie de realizaciones prácticas fue la de Arturo Soria y Mata, publicada en 1892 en un folleto titulado «La Ciudad Lineal», que proponía crear una sociedad cooperativa, la «Compañía Madrileña de Urbanización», compuesta en principio por unos 600 socios que trataron de edificar en el extrarradio madrileño una ciudad higiénica, racional, con varios tipos de viviendas asequibles al obrero, al empleado y al pequeño capitalista. La obra de Arturo Soria, realización extraordinariamente interesante desde el punto de vista urbanístico, aunque

---

[41] HAUSER, *op. cit.*, I, pág. 328.
[42] *Comisión Reformas Sociales*, I, pág. 194. Sobre el hoy desaparecido barrio de Pozas, que empieza a construirse hacia 1863 y aparece en una narración barojiana como sede de un personaje (*El árbol de la ciencia*, O. C., II, 563), confróntese MARÍA MONTESINOS: «El barrio de Pozas», *Estudios Geográficos*, 1961, págs. 477-500.
[43] HAUSER, *op. cit.*, I, pág. 330.

con un carácter más pequeño burgués que obrero, tendió a llenar un vacío que no cubría una política de vivienda injusta y desacertada.

De todos los datos expuestos creemos que puede concluirse que en ningún momento estos proyectos, realizados o no, fueron suficientes para solucionar el grave problema de la habitación popular madrileña. La mayoría fueron inútiles tentativas que fracasaron al no ser seguidas de cerca por una política estatal sobre viviendas populares. Ya hemos citado anteriormente de cuándo es la primera ley relativa a la construcción de casas baratas; antes de 1911, todo se dejaba en manos de la iniciativa privada, que no empleaba sus capitales en construir viviendas económicas por ser un negocio poco lucrativo; o de la caridad. Esta última podía, como en los casos citados, aliviar la situación de algunos centenares o miles de familias jornaleras, pero no la de la gran mayoría de la población madrileña afectada por el problema. Como decía el Vizconde de Eza, alcalde de Madrid durante algún tiempo, en el prólogo a la obra de Chicote sobre la vivienda insalubre madrileña, «la obra de la habitación barata tiene que bastarse a sí misma, sin que en ella se mezcle nada de caridad..., es tarea que únicamente asentada sobre bases jurídicas y económicas, cabe pensarse en alcanzar» [44].

---

[44] César Chicote, *op. cit.*, pág. 15.

APENDICE QUE SE CITA

Señas de doscientas casas, relativamente buenas unas, otras medianas o malas, que encierran tres mil quinientas habitaciones y unos doce mil individuos.

Están todas comprendidas dentro de los límites de la antigua Ronda de Madrid.

Unidas a los números de las casas van las siguientes abreviaturas:

i .... indica que deben visitarse los interiores.
tc .... » que es notable toda la casa.
er .... » que el exterior es regular.
eb .... » que el exterior es bueno.

Distrito de Palacio

Barrio de Amaniel:

Calle de Amaniel, núm. 2: interiores a un patio. Hoy ventilados.
Calle del Noviciado, núm. 8, i; 18, er, eb.
Calle de San Vicente, núm. 64, tc; 62, i.

Barrio del Conde Duque:

Calle del Conde Duque, núm. 6, i, er; 38, tc. Visítense algunas que dan a la calle.
Calle del Limón, núm. 21: más sucia que reducida; 8, tc; 4, i.

Barrio de Quiñones:

Calle de Monserrat, núm. 16, i.
Calle de Quiñones, núm. 12, tc; más sucia que reducida; 16, tc; íd.
Calle de San Dimas, núm. 4, i; 16, tc; notable por lo diminuto de sus pisos.
Calle de San Hermenegildo, 9, i; 15 duplicado, tc; 30, i, er; 32, i, er.

Distrito de la Universidad

Barrio de la Corredera:

Calle de San Vicente, núm. 16, i, eb.
Calle de la Palma, núm. 17, i, eb; 18, tc; reducidísima; 31, i.

Barrio del Dos de Mayo:

Calle de la Palma, núm. 45, i; 49, i.
Calle del Espíritu Santo, núm. 27, i, eb.
Calle de Santa Lucía, núm. 11, i.

Barrio de Daoíz:

Calle de Daoíz y Velarde, núm. 6, i; 4, i.

Barrio del Pez:

Calle de Pozas, núm. 9, i.

Barrio del Rubio:

Calle del Tesoro, núm. 5, i; 7, i, eb.
Calle del Espíritu Santo, núm. 20, i.
Calle de Don Felipe, núm. 6, i, eb; 6 duplicado, está sin número, i;
9, i.

Distrito de Hospicio

Barrio de Pelayo:

Calle de Pelayo, núm. 59, i; 48, i; 42, i; 27, i; 25, i; 9, i.

Distrito del Congreso

Barrio del Gobernador:

Costanilla de los Desamparados, núm. 11, i; 9, i; 12, i. Las dos
últimas parecen curiosas desde fuera: no hemos entrado en ellas.
Calle del Fúcar, núm. 6, i, eb.

Distrito del Hospital

Barrio del Ave María:

Calle del Ave María, núm. 47, i; 45, i; 48, i; 41, i; 40, i; 20, i, eb.

Barrio de Ministriles:

Calle de Lavapiés, núm. 34, i, eb; 38, i, eb; 42, i, eb; 33, i; 21, i,
eb; 35, i; 37, i; 51, i.
Plaza de Lavapiés, núm. 7, i; 5, tc. Los interiores son notables.

Barrio de la Primavera:

Calle de Buenavista, núm. 28, i; 32, i.
Calle de la Primavera, núm. 13, tc; 3, i.
Calle de Zurita, núm. 43, i; 40, tc; 28, tc.

Barrio de la Torrecilla:

Calle de la Esperanza, núm. 6, i; 10, i.

Barrio de Valencia:

Calle del Salitre, núm. 44, i; 50, i. Esta casa tiene dos pisos y es de
escasísima altura; 56, i; 58, tc.
Calle de San Cosme, núm. 7, i; 9, i; 11, i; 15, i.

Barrio de Cabestreros:

Calle del Oso, núm. 14, i; 12, i; 7, i; 3, i.

Barrio de Caravaca:

Calle de Sombrerete, núm. 1, i; 4, i; 9, i; 12, i; 14, i; 11, i; 16, tc.
Calle de Caravaca, núm. 3, i, er; 11, i.
Calle del Amparo, núm. 75, i, er; 77, i, er; 62, i, eb; 58, i; 56, i.
Calle del Tribulete, núm. 12, i; 9, i; 7, i; 5, i.

Barrio de la Comadre:

Travesía de la Comadre, núm. 6, tc.
Calle de Jesús y María, núm. 13, i; 32, i, eb.
Calle del Calvario, núm. 5, i, eb.

Barrio de Embajadores:

Calle del Espino, núm. 1, tc; 3, tc.

Barrio de la Encomienda:

Calle de Dos Hermanas, núm. 9, i.
Calle de la Encomienda, núm. 20, i.
Calle del Mesón de Paredes, núm. 37, i; 36, i, casa muy estrecha; 33, i, er; 31, i, er.
Calle del Ventorrillo, núm. 4, i; 6, i; 11, i.
Calle de Mira el Sol, núm. 9 duplicado, tc; 18, i; 22, tc, tiene pequeñísima altura; 24, tc, pequeña altura.

Barrio de la Huerta del Bayo:

Calle de la Peña de Francia, núm. 8, tc; 4.
Calle de Rodas, núm. 30, i, casa muy baja; 14, i; 8, i, eb; 6, i.
Calle del Casino, núm. 14, i.
Calle de Santiago el Verde, núm. 11, i; 5, tc, notable, i.
Calle de la Huerta del Bayo, núm. 5, i; 8, i; 10, i; 14, i. La puerta por donde se entra en estos interiores notables está dos casas más abajo de este número, pero creemos que las comprende a todas, porque no se ve allí otro.

Barrio del Peñón:

Calle del Peñón, núm. 10, tc; 20, i; 22, i; 28, i; 44, i. Son de las más notables.

Barrio de las Provisiones:

Calle de las Provisiones, núm. 1, tc, sucia; 2, tc; 6, i. Dan a un patio de regular limpieza; 8, cuartos a un patio.
Calle del Mesón de Paredes, núm. 47, i; 43, i; 41, i, er; 75, i; 90, primera puerta, i; 92, segunda puerta, i; 83, i, eb.
Calle del Tribulete, núm. 19, i, relativamente buenos, eb.

101

Barrio del Rastro:

Calle de la Pasión, núm. 9, i.
En este distrito se indican señas de todos los barrios, excepto del de las Peñuelas, que cae ya fuera de los límites de la antigua Ronda.

Distrito de la Latina

Barrio de las Aguas:

Calle de San Bernabé, núm. 16, i; 12, i; 8, i; 7, i. Son notables la mayor parte de los interiores de toda la calle.
Calle del Rosario, núm. 11, i; 15, i; 21, i. Enfrente de estos números se extienden las prisiones militares de San Francisco.
Travesía de las Vistillas, núm. 16, i; 18, i.
Calle de San Isidro, núm. 23, i, eb; 21, i, eb; 18, i, eb; 17, tc, los interiores son notables; 15, i; 11, i, eb.

Barrio de la Arganzuela:

Calle del Bastero, núm. 9, i; 11, i; 13, i; 14, i; 22, i; 21, tc; 23, tc; 25, i; 27, i.
Calle de Mira el Río Alta, núm. 6, i; 15, tc.
Calle de la Arganzuela, núm. 20, i, eb; 25, i; 29, i; 32, i; 34, i, por dos puertas que dan a otros tantos patios; 4, i.
Calle de Chopa, núm. 20. Estúdiense el aspecto y dimensiones de la calle entera.

Barrio de Calatrava:

Calle del Aguila, núm. 38, i; 32, i; 30, i; 20, i; 21, i, eb; 16, i; 14, i; 9, i.

Barrio de Don Pedro:

Campillo de las Vistillas, núm. 3, tc, notable por lo reducida.
Calle de los Mancebos, 21, tc; 32, tc.
Calle Angosta de los Mancebos, núm. 7, i; 4, tc; 3, i; 1, i.
Calle del Granado, núm. 7, tc.

Barrio del Humilladero:

Calle de la Sierpe, núm. 3, i; dan a un patio relativamente regular.
Calle de Irlandeses, núm. 9, tc; 13, tc.
Calle del Mediodía Grande, núm. 15, i.

Barrio de la Solana:

Calle de la Paloma, núm. 27, i; 19, i; 17, i, eb; 16, i; 15, i; 6, i, eb; 4, i.
Calle de la Solana, núm. 15, i; 7, i; 3, i.
Calle de la Ventosa, núm. 14, i; 11, i; 10, i; 9, tc [45].

---

[45] *Comisión Reformas Sociales*, II, págs. 76-79.

CAPÍTULO IV

INSTITUCIONES DE BENEFICENCIA Y CENTROS DE SANIDAD EN MADRID

INSTITUCIONES DE BENEFICENCIA: COMEDORES DE CARIDAD
Y TIENDAS-ASILO.—LA INCLUSA.—EL HOSPICIO.—
CENTROS DE SANIDAD

Instituciones de Beneficencia: comedores de caridad y tiendas-asilo

Las Instituciones de Beneficencia cumplen en Madrid por estos años una doble finalidad, caritativa y sanitaria. Casi todas habían sido creadas con fines caritativos, y al atender a una población numerosa de desamparados tenían que prestarles ayuda no sólo de tipo humano, sino también médico y económico.

Estas instituciones, ya sean públicas, del Estado o del municipio de Madrid, o privadas, se enfrentan al tremendo problema social del hambre, la mendicidad y la enfermedad, y tratan de resolverlo con la caridad. Ya hemos señalado en capítulos anteriores cuál era la situación de crisis económica y social por la que España, y Madrid, capital, atraviesa en estos años que nos ocupan. El pobre, el mendigo de oficio, o por necesidad, era una plaga callejera del Madrid fin de siglo. La causa de su mendicidad puede ser su situación extrasocial o el paro forzoso. En la Prensa se comenta el hecho aludiendo a que «el pobre de oficio es una plaga..., pero..., el pobre accidental es una inmensa desgracia social» [1]. A Madrid capital se le añaden los pobres de las regiones limítrofes que vienen a la ciudad huyendo de la

---

[1] *Los Lunes del Imparcial,* 1 de febrero de 1886.

miseria campesina y en busca de «trabajo o de limosna». En 1895 el gobernador de Madrid ordena que salgan para sus respectivos pueblos 1.308 pobres que había en el Asilo de San Bernardino de fuera de la capital[2].

La muerte por hambre en la calle es un hecho casi corriente, que aparece frecuentemente en la Prensa: Entre los muchos ejemplos encontrados transcribimos dos característicos:

> «Ayer por la tarde falleció en la Casa de Socorro del Puente de Toledo un individuo hallado sin sentido en la Ronda de Valencia. Ha muerto de hambre»[3].

> «En el barrio de las Injurias yacía tendido en la calle un hombre de unos veinticinco años. Llevado a la Casa de Socorro falleció a los pocos momentos, certificando los facultativos que había muerto de hambre»[4].

¿Qué hacer ante tanto mendigo? se pregunta el Gobierno, la Iglesia, las damas y señores filantrópicos. Su solución es la caridad administrada a través de una serie de instituciones benéficas. El Ayuntamiento tiene establecido sus Asilos municipales, con comedores de caridad, donde cada día reparte raciones a los infortunados que acuden hasta allí. Incluso en algunos cuarteles se reparte también el sobrante del rancho militar entre los mendigos. Muchas órdenes religiosas tienen asilos y comedores de caridad. Las obras pías, también. La imaginación de los políticos instalados en el poder no deja de trabajar buscando remedios contra la miseria: Moret propone y crea las tiendas-asilo, que se extienden por el país entero.

¿Cuál es, pues, la tarea diaria de·cualquier mendigo madrileño? Los vagabundos barojianos lo saben muy bien: se deambula por Madrid en espera de unas limosnas que llegan o no llegan, se come la sopa boba en un cuartel o asilo y se pasa la noche guarecido del frío en una casa de dormir. Día tras día, con mejor o peor suerte, ése es su itinerario. Vamos a dar, pues, algunos datos concretos sobre este pasar miserable.

---

[2] *El Socialista,* 5 de octubre de 1895.

[3] *El Globo,* 4 de enero de 1905.

[4] *El Globo,* 4 de enero de 1905. Es interesante confrontar cómo las dos notas de Prensa se refieren a dos barrios ligados en la narrativa barojiana a la miseria madrileña. Tenemos aquí una prueba más de la enorme objetividad topográfica barojiana.

Pedir limosna no es fácil, hay demasiada competencia, según le explica un mendigo a Silvestre Paradox, héroe barojiano: «Era un hombre de unos cincuenta y tantos años... Vivía de pedir limosna; pero la concurrencia en esto se había hecho tan grande..., que ya no se podía ser mangante»[5].

Cuando las limosnas no acuden se vive de lo que se puede:

—¿Y no haces nada?—pregunta Manuel a un chiquillo inclusero.

—«¡Psch!..., lo que se tercia: cojo colillas, vendo arena, y cuando no gano nada voy al cuartel de María Cristina.

—¿A qué?

—Toma, por rancho»[6].

Vivir del rancho gratuito o a precio muy módico es el destino de la mayor parte de los pobres madrileños. Se reparten entre cuarteles, comedores de caridad y asilos municipales.

«Se acercaron al cuartel—cuenta Baroja—y se pusieron a la cola de una fila de pobres y de vagos que esperaban la comida. Una vieja que ya había comido les prestó una lata para recoger el rancho»[7].

O en otra ocasión: «¿Adónde vamos?—preguntó Manuel—. Aquí, a un convento de Trapenses que hay cerca de Getafe, en donde nos darán de comer»[8].

Baroja refleja en estos personajes que caminan por sus novelas lo que aparecía a menudo en la Prensa y sin duda alguna era natural y aceptado como «un mal necesario» por cualquier ciudadano madrileño acomodado.

Las notas que la Prensa madrileña dedica a las obras de caridad que se realizan diariamente son constantes a partir de 1885:

«En el Asilo de Huérfanos del Sagrado Corazón de Jesús se repartieron raciones a los pobres más necesitados. Más de 200

---

[5] *Aventuras, inventos y mixtificaciones de Silvestre Paradox*, O. C., II, 116.
[6] *La busca*, O. C., I, 341.
[7] *La busca*, O. C., I, 342.
[8] *Mala hierba*, O. C., I, 471.

necesitados, ateridos de frío y casi muertos de hambre, se agrupaban a las puertas del Asilo» [9].

«El viernes último hizo el gobernador civil, señor Aguilera, en el Asilo de Santa Cristina el reparto de limosnas en especie que da a los pobres todas las semanas.

Ha sido tal la aglomeración de personas necesitadas que después de consumidas 3.000 raciones de garbanzos, patatas y tocino, y 1.200 de pan, fue necesario para socorrer a todos acudir a las existencias que para el alimento diario de los asilados había en los almacenes...

El número de auxiliados era de varios miles, se extendían desde la puerta del Asilo hasta más acá de la Cárcel Modelo» [10].

«En la Casa de Socorro de Palacio anteayer fueron socorridos con albergue, cama y desayuno 152 hombres, 129 mujeres y 109 niños [11].

«En el comedor de la Caridad del Sagrado Corazón de Jesús fueron ayer auxiliados 1.778 personas» [12].

«En el comedor de la Caridad, establecido en el Asilo de Huérfanos del Sagrado Corazón de Jesús, fueron socorridas ayer 1.876 personas» [13].

La ola de pobreza va en aumento a medida que finaliza el siglo y empieza el nuevo. A los pobres vergonzantes se unen los trabajadores en paro y Madrid trata de remediar el problema con paños calientes: Se intenta prohibir la mendicidad en las calles [14]; por estos años, en 1899, se crea la Asociación Matritense de Caridad, que pretende remediar la condición de las clases proletarias y luchar por la extinción de la mendicidad en Madrid; se fundan los comedores de caridad, los bonos de comida económica y las ya citadas tiendas-asilo.

Los comedores de caridad, como diría un estudioso [15] de los problemas de la mendicidad madrileña años más tarde, se crearon

[9] *El Imparcial,* 22 de enero de 1885.
[10] *El Socialista,* 3 de junio de 1898.
[11] *El Globo,* 6 de enero de 1899.
[12] *El Imparcial,* 15 de enero de 1900.
[13] *El Imparcial,* 12 de febrero de 1900.
[14] Según una noticia de *El Globo,* 6 de mayo de 1899, Dato calculaba que si se prohibía la mendicidad callejera habría necesidad de asilar a unos 2.000 pobres.
[15] FRANCISCO GARCÍA MOLINAS: *La mendicidad en Madrid. Sus causas y sus remedios,* Madrid, 1918.

no sólo «para acallar las lamentaciones que en la Prensa aparecían, casi a diario, denunciando casos de muerte por inanición», sino también para remediar en lo posible los estragos de la crisis obrera, con motivo de la falta de trabajo y la carestía de las subsistencias.

Las cocinas económicas y los bonos de comida eran otra medida para remediar el problema. Por ejemplo, en el asilo de San Bernardino hacia 1900 el Ayuntamiento por 0,46 céntimos suministraba la siguiente ración alimenticia:

C O M I D A

Carne	75,000	gramos
Tocino	10,788	»
Garbanzos	86,268	»
Arroz	28,756	»
Patatas	57,512	»
Aceite	0,033	litros
Ajos	2,300	gramos
Cebollas	9,201	»
Pimentón	2,300	»
Sal	18,430	»
Vinagre	0,005	litros
Carbón vegetal	50,000	gramos
Carbón de cok	215,000	»

C E N A

Con oscilaciones según los distintos días de la semana suministraba judías, 115 gramos, o patatas, 150; y dos veces por semana 0,75 gramos de carne sin hueso [16].

Indudablemente la ración, por ejemplo, de carne, era insuficiente, pero el precio era asequible, y aun así hay que tener en cuenta que no todo el mundo podía gastar ese dinero en el Asilo. Un pobre pidiendo limosna, según recoge Baroja, no reunía más de 30 ó 50 céntimos al día [17], luego muy difíciles cuentas tenía que hacer para con ese dinero comer con bonos de asilo.

Unos años antes, en 1885, y para solucionar también el mis-

---

[16] M. Melgosa, *op. cit.*, pág. 37.
[17] «... Y pidiendo limosna, ¿ya no se puede sacar para vivir?» «¡Ca, nada!, yo suelo reunir de treinta a cincuenta céntimos al día» (*Aventuras, inventos y mixtificaciones de Silvestre Paradox*, O. C., II, 116).

mo problema, se le ocurrió a Moret crear las tiendas-asilo. El modelo seguido era las que habían sido instaladas para la población flotante de El Havre. Se trataba de vender las raciones al precio de 0,10 céntimos, pan aparte, y de instalar unas ocho tiendas-asilo en Madrid, que con unos gastos de instalación de 10.000 duros, podrían vender 20.000 raciones diarias y mantener más de 30.000 personas. Los beneficios obtenidos, aunque escasos, servirían para el mantenimiento [18].

La idea caminó al principio con éxito, Se fundó la primera tienda-asilo en 1885 y en 1886 los fundadores pedían ayuda al público para crear otros tres establecimientos análogos en Madrid: uno en Chamberí, otro en Hospital, un tercero al lado del puente de Toledo. En otras provincias, a imitación de Madrid, surgieron también tiendas-asilo. Más tarde la idea fue atacada con varios argumentos, el más fuerte el de que no venían más que a solucionar casos particulares y que a pesar de su bajo precio suponían un gasto elevado para cualquier familia numerosa si se multiplicaba el número de raciones por el de individuos. Por otro lado, fueron criticadas por ser un negocio más o menos lucrativo: «las famosas tiendas-asilo, que nada tienen de asilo y son en realidad tiendas solamente, pero de la peor esespecie, constituyen un asqueroso negocio, donde se especula de la manera más hipócrita e indigna con la salud de los desgraciados» [19].

Evidentemente las medidas caritativas resolvían casos particulares, pero no todos, y desde luego en ningún momento alcanzaban a los pobres vergonzantes que no podían ni aspirar a una ración de cocina económica ni de tienda-asilo, por muy barata que ésta fuera. Su vida oscilaba entre el rancho gratuito de convento, cuartel o asilo y la noche pasada el raso o todo lo más en un refugio municipal o una detestable casa de dormir.

Porque los pobres durmientes en la calle eran otro espectáculo gratuito madrileño, que Baroja recoge magistralmente en su obra, muy especialmente en el final de *La busca*:

«Alrededor de las calderas del asfalto se habían amontonado grupos de hombres y de chiquillos astrosos; dormían algunos con la cabeza apoyada en el hornillo, como si fueran a embestir

---

[18] *El Imparcial*, 24 de octubre de 1885.
[19] *El Socialista*, 9 de julio de 1886.

contra él. Los chicos hablaban y gritaban, y se reían de los espectadores que se acercaban con curiosidad a mirarlos»[20].

Y no es retórica barojiana, porque todavía en 1916 se clamaba contra «el espectáculo bochonorso que a diario se contempla en las calles y plazas de Madrid, viendo cómo duermen en los quicios de las puertas o en medio de las aceras o plazuelas esos seres humanos envueltos en inmundos harapos, sufriendo las inclemencias del tiempo»[21].

Miseria enorme cuya extensión no podemos calcular con exactitud, ya que junto a los asilos municipales, que proporcionaban albergue nocturno gratuito, existían en Madrid las casas de dormir, especie de paradores o lazaretos de iniciativa privada que contenían cierto número de camas destinadas a dar abrigo de noche a personas sin domicilio. Las había masculinas y femeninas y el precio por noche era de 10, 20 ó 30 céntimos. Las camas de 10 a 30 céntimos sólo tenían un jergón, y a partir de 0,50 tenían colchón. La mayor parte de estas casas estaban situadas en los barrios populares, especialmente en los distritos de la Latina y de la Inclusa. Hauser calcula que debían existir en total unas 30 en Madrid. Eran lugares mal ventilados, faltos de luz, sucios y malolientes. Su clientela iba desde el cesante que había empeñado todo, hasta el mendigo, pasando por el vendedor de periódicos, el ratero y el obrero parado, todos víctimas «de la más espantosa miseria»[22].

Las medidas caritativas desde luego no eran suficientes para solucionar un problema que presentaba tales características de

---

[20] *La busca*, O. C., I, 377. La escena la sitúa el novelista en la Puerta del Sol madrileña. En un artículo suyo aparecido en *El País* en 1900 habla del «aspecto formidable» que presentaba la citada plaza durante las operaciones del asfaltado..., pero debía ser sin pobres cobijados al calor de las calderas. «Humo», *El País*, 17-IX-1900. (Artículo recogido en *Hojas sueltas*, cit. ant., págs. 97-99, II.)

[21] Francisco García Molinas, *op. cit.*, pág. 20.

[22] Hauser, *op. cit.*, I, págs. 295 y sgs. Aún debían existir peores sitios para pasar la noche que una casa de dormir reconocida. Hauser nos da noticias de ellos en el barrio de las Injurias (I, 281), y Baroja habla de «alguna taberna de las Rondas, de esas que tienen dormitorio», donde por una perra chica le alquilaban a uno una estera *(Aventuras, inventos y mixtificaciones de Silvestre Paradox*, II, 116). Respecto a la clientela de las casas de dormir coincide la descripción de Hauser con la que Baroja encuentra en el Asilo Municipal del Sur: mendigos, golfos, un funcionario de provincias cesante, rateros... *(Mala hierba*, I, 462-63).

extensión y crecimiento aunque las cifras invertidas en caridad no fueran escasas. La Asociación Matritense de Caridad mantenía de 700 a 800 pobres por 150.000 ó 200.000 pesetas anuales. La Junta provincial de Beneficencia repartía socorros y bonos por más de 50.000 pesetas. Las casas de socorro repartían millares de bonos. La Hermandad del Refugio gastaba al año 380.000 pesetas y las conferencias de San Vicente de Paúl 80.000 [23].

La Inclusa

De todos los establecimientos benéficos madrileños de estos años quizá ninguno refleja tan perfectamente como la Inclusa la falta de sanidad y la pobreza.

La Inclusa estaba situada en la calle de Embajadores; contigua al mismo edificio, pero con entrada por Mesón de Paredes, estaba la Casa de Maternidad. La finalidad de la institución era doble: recoger a las madres que iban a dar a luz y luego dar amparo a los hijos abandonados de la misma Casa de Maternidad o de otras procedencias.

La Casa de Maternidad carecía todavía a principios de siglo, según Hauser, de todos «los requisitos reconocidos hoy como indispensables para un buen funcionamiento». Las salas no eran asépticas, los muros, techos y pavimentos no estaban impermeabilizados, los *water-closets* y los sumideros eran de construcción antigua y funcionaban mal; las salas de las parturientas no estaban bien ventiladas, carecían del número necesario de ventanas y no tenían la cubicación de aire suficiente. No había en toda la Maternidad ni salas de aislamiento, ni estufas de desinfección, ni coladores de agua caliente, ni tendedero de ropa, ni depósito de cadáveres, y a mayor abundamiento, el edificio estaba situado en una calle estrecha y sucia sin patio y sin jardines para oxigenar el ambiente.

Partiendo de aquí no es de extrañar que el cuadro estadístico del Hospital de la Maternidad de 1899 a 1902 fuese el siguiente:

---

[23] *El Globo,* 30 de junio de 1905. Cifras tomadas de un artículo de EUSEBIO BLASCO, titulado «¡No debe haber pobres!»

Años	Entradas	Altas	Muertos	
1899	39	29	10	24 %
1900	23	15	8	34 %
1901	25	17	8	32 %
Primer trimestre 1902	14	8	6	45 %
TOTALES	101	69	32	32 % [24]

Del cuadro resulta que de las 101 ingresadas en el trienio habían muerto 32, o sea, un 32 por 100, porcentaje estremecedor, que se explica en parte si se considera que por término medio anual entraban en el Hospital 29 mujeres procedentes de la Maternidad con afecciones puerperales. Hauser se pregunta, con el espíritu humanitario del hombre de ciencia de principios de siglo, cómo dependiendo la iniciativa de las casas de expósitos de las conferencias de San Vicente de Paúl y existiendo una sociedad de señoras aristocráticas pertenecientes a dichas conferencias no se les había ocurrido a esas señoras «hacer una visita al establecimiento y ponerse al corriente de todas sus deficiencias y de los numerosos atentados que se cometían allí en nombre de la caridad a la personalidad humana».

En cuanto a la Inclusa, parece que las condiciones higiénicas eran mucho mejores que las de la Maternidad, pero en la práctica los resultados eran deplorables. La mortalidad presentaba cifras aterradoras. Según la noticia de un periódico, la proporción de muertes entre los niños que ingresaban en ella era la siguiente:

Años	Ingresados	Muertos fuera de la Inclusa	En la Inclusa	Entregados a padres
1894	1.477	77	552	198
1895	1.440	42	645	158
1896	1.422	54	391	170
1897	1.411	71	190	162
1898	1.488	134	482	189
1899	1.339	65	557	203
TOTALES ...	8.577	433	2.817	1.080 [25]

[24] HAUSER, op. cit., I, págs. 433 y sgs.
[25] El Globo, 21 de diciembre de 1899.

La cifra de niños ingresados en la Inclusa que da la Prensa viene a coincidir más o menos con la de Hauser. Según él entraban anualmente unos 1.400 niños y quedaban unos 60 a 80 en el establecimiento, pero entre los ingresados la mortalidad media anual era de un 73,8 por 100 [26].

Ahora bien, ¿de qué morían estos niños, si al parecer las condiciones higiénicas de la Inclusa no eran tan malas como las de la Maternidad? La respuesta más frecuente, que hemos visto repetirse en distintas ocasiones y por distintas personas es: a causa del hambre. Repetimos que ésta es la única respuesta concreta y argumentada que hemos encontrado, pero desde luego no hay que tomarla como la única, ya que la Inclusa envolvía la mortalidad de sus refugiados en un secreto total.

Sabemos que pasaban hambre por muchas razones. Hauser dice que para esos 60 u 80 niños que quedaban allí la Inclusa disponía de 20 amas de cría, de modo que tocaban a una para cada dos niños. La Prensa habla de «pocas amas y muchos niños» [27]. Un escritor costumbrista de la época refiriéndose a la Inclusa dice «que las nodrizas escasean hasta el extremo de haber temporadas en que tiene cada una de ellas a su cargo cuatro y aun cinco criaturas» [28].

Un diputado provincial, el señor Peláez, en una sesión celebrada por la Diputación, toma la palabra y dice que todos los meses mueren en la Inclusa muchos niños, «porque para amamantar a 120 ó 130 niños sólo había 30 amas» [29]. Según la Prensa, desde el 7 de noviembre de 1898 hasta la fecha de la denuncia del señor Peláez, (diciembre 1898), habían muerto 68 niños.

El problema del hambre se debía, por tanto, a la falta de amas y a que las pocas que había estaban mal pagadas. El citado señor Peláez habla de que se les debían veintiocho meses que importaban aproximadamente 756.000 pesetas. Si no había más amas era porque el salario que recibían era de 25 a 35 pesetas mensuales y en las casas particulares cobraban de 40 a 50 pesetas. Por esto, en general, como advierte Hauser, las que iban a parar a la Inclusa no eran las mejores y allí empeoraban por

[26] HAUSER, *op. cit.*, I, págs. 435 y sgs.
[27] *El Globo*, 21 de diciembre de 1899.
[28] ENRIQUE SEPÚLVEDA: *La vida en Madrid en 1888*, Madrid, 1889. La cita corresponde al relato «Un inclusero» (págs. 408-15).
[29] *El Imparcial*, 14 de diciembre de 1898.

la mala alimentación que recibían y la falta de aire puro, por lo que, en consecuencia, también empeoraba la salud del niño o niños que estaban a su cargo.

Las noticias sobre la excesiva mortalidad de la Inclusa salen con frecuencia en las páginas de los periódicos y el presidente de la Diputación en el año 1899 se defiende contra los ataques diciendo «que de los 2.817 niños muertos en los últimos seis años, 1.672 fallecieron en los quince días siguientes a su ingreso, y que la mayor parte de las defunciones fueron ocasionadas por falta de viabilidad, atrepsia y sífilis infantil o hereditaria, lo que demostraba el deplorable estado en que los niños llegaban al establecimiento». Hace referencia a las amas de cría y sostiene que la Diputación paga «40 amas internas a las que ha pagado siempre con exactitud», pero añade que «es excesivo el número de niños que hay que criar fuera y corto el jornal (15 pesetas mensuales)», por lo que «las mujeres dedicadas a criar si tienen ocupaciones que les produzcan mayores rendimientos no lo verifican» [30].

Si la Inclusa no podía sostener económicamente tantas amas como niños, podía, por lo menos, haber resuelto prácticamente el problema con unas instalaciones que le proporcionasen lactancia artificial, manteniendo establos con vacas que proveyeran en todas las escaseces citadas. Parece que las tenía, pero no estaban instalados debidamente y su mantenimiento y la sanidad de la leche dejaban mucho que desear. Por tanto, sin temor a equivocarnos, y sin tomarlo como única causa determinante, podemos concluir que el hambre era efectivamente una de las causas más importantes de la elevada mortalidad de la Inclusa.

El Hospicio

Después de la Inclusa la otra institución de beneficencia que estaba dedicada a la infancia era el Hospicio de San Fernando, situado en la calle de Fuencarral, en el local que hoy ocupan la Biblioteca y el Museo Municipal de Madrid. La higiene y organización del Hospicio no eran tampoco muy notables.

En el año 1900 una epidemia de sarampión causó graves bajas en la población infantil madrileña del Hospicio. Alarmada

---

[30] *El Globo,* 30 de diciembre de 1899.

la población por las cifras que recogía la Prensa quiso la dirección de uno de los mejores periódicos de la época, *El Imparcial,* que se llevase a cabo un estudio en el propio Hospicio por personas competentes en la especialidad y que los resultados fuesen transferidos a la opinión pública a través de sus páginas. Fue encargado de la gestión el doctor Verdes Montenegro, que después de realizar diversas encuestas entre personas enteradas del funcionamiento del establecimiento y de recoger datos, llegó a la conclusión de que el régimen del Hospicio tenía un vicio fundamental: el exceso de asilados y la falta de dinero [31]. El presupuesto del Hospicio era para unos 800 asilados, y había en ese momento 1.200 y en ocasiones se multiplicaban hasta 1.700. La consecuencia de esto era que los niños del Hospicio ni comían, ni vestían y vivían en «insano hacinamiento».

Sobre la comida era evidente que ya no se trataba de su calidad, sino del simple hecho de que donde debían comer 800, «no podían hacerlo 1.700, ni 1.500, ni 1.000».

En cuanto al vestido, las consecuencias de la superpoblación eran que pocos niños iban bien calzados, faltándole a algunos los zapatos, y otro tanto sucedía con el vestuario.

Como el edificio estaba ya en parte ruinoso, por su antigüedad, se habían concentrado los asilados en la parte más segura del mismo y el número de camas en los dormitorios era excesivo con relación a la dimensión y ventilación de las habitaciones.

Estas condiciones deficientes se hacían especialmente graves si se tenía en cuenta que los alojados eran niños y niñas que llegaban en su mayor parte al Hospicio «procedentes de otros establecimientos donde han pasado su primera infancia en malas condiciones higiénicas, o enviados por familias pobres, después de un largo calvario de privaciones y sufrimientos». De esta manera, el Hospicio, en vez de remediar las consecuencias de una infancia desvalida, no hacía más que completarlas y rematarlas. Una de las personas que suministró información a Verdes Montenegro le decía que los niños «que entraban sanos de la calle, perdían el color, se hacían anémicos, adquirían una cara especial, de prematuro envejecimiento, y en los que llegaban des-

---

[31] *El Imparcial,* 15 de junio de 1900. Todos los datos que Verdes Montenegro recogió y que nosotros vamos a reseñar aparecen en un artículo firmado con su nombre que lleva por título «La higiene en el Hospicio».

pués de haber pasado una infancia más o menos borrascosa, los resultados eran mucho más rápidos e intensos. La tuberculosis abdominal, la escrófula, la anemia, eran frecuentes; todas las enfermedades consuntivas que conducían con mayor o menor rapidez, según la resistencia del pobre niño, a la ruina de su delicado organismo».

Así, no puede extrañarnos que la mortalidad por edades en el Hospicio en el quinquenio 1897-1901 fuese la que señala el cuadro siguiente:

E D A D E S

Años	De 5 a 10	De 10 a 15	De 15 a 20	TOTAL
1897	30	16	2	48
1898	6	9	2	17
1899	70	2	1	73
1900	20	11	1	32
1901	14	2	3	19
TOTALES ...	140	40	9	189 [32]

Es decir, la mortalidad anual de los niños de cinco a diez años, cuyo número se elevaba por término medio a 350, era de 80 por 1.000, mientras que en el resto de la población era de 16,3 por 1.000 para la misma edad.

De diez a quince años, donde el número de asilados era aproximadamente igual al anterior, la mortalidad era de un 23 por 1.000.

Ante tales hechos resulta explicable que el doctor Salinas, en una sesión de la Sociedad Española de Higiene celebrada en 1902, declarase que en España en lo que a protección a la infancia se refería estábamos «a la misma altura que en el siglo XVI» [33].

Si éste era el deficiente funcionamiento de establecimientos benéficos modélicos de Madrid podemos imaginar cuál sería en otros menos importantes, como, por ejemplo, el Asilo de las Mercedes, donde 100 niñas recogidas dormían en el suelo [34], o aquel

[32] HAUSER, op. cit., I, pág. 409.
[33] El Globo, 29 de enero de 1902.
[34] El Socialista, 25 de noviembre de 1887.

115

otro donde un personaje de Baroja había estado recogido y donde a los seis años un día, por una falta leve «una monja le tuvo ocho días desnudo, atado con cuerdas de esparto, a pan y agua» y el niño como consecuencia enfermó gravemente[35].

Evidentemente las soluciones caritativas y benéficas no resolvían más que unos cuantos casos particulares y llevaban en su misma organización una serie de lacras totalmente injustificables. Por eso a Juan, personaje de Baroja, la caridad oficial le parece una infamia y cuando ve acercarse a la casa de vecindad infecta donde vive, el día de Nochebuena, a una comisión de las conferencias de San Vicente de Paúl que va visitando a los vecinos más miserables y entregándoles bonos de caridad no puede por menos de exclamar:

«— ¡Hipócritas! —...

... ¡Que me oigan!, son unos hipócritas. ¿A qué vienen aquí a echárselas de caritativos? A hacer el paripé, a eso vienen esos tíos, esos farsantes. ¿Qué leñe quieren saber? ¿Que vivimos mal? ¿Que estamos hechos unos guarros? ¿Que no cuidamos a los chicos? ¿Que nos emborrachamos? Bueno, pues que nos den su dinero y viviremos mejor, pero que no se nos vengan con bonos y con consejos»[36].

Opinión bastante semejante mantenían los obreros más conscientes madrileños y así lo manifestaron ante la Comisión de Reformas Sociales. Gómez Latorre, obrero socialista, en su informe oral sobre la beneficencia, se expresa de este modo: «La Beneficencia, lo mismo la privada que la pública, lo mismo la del Estado que la de la provincia y el Municipio, es, en mi concepto y en el de muchos obreros de aquí y fuera de aquí, el signo más característico de la podredumbre de una sociedad. Todo obrero digno que se ve obligado a mendigar la caridad en cualquiera de sus aspectos, sufre un verdadero sonrojo ¿y por qué? Porque entendiendo, como nosotros entendemos, que el reparto de los bienes y de las comodidades de la vida debe someterse a un criterio igual y equitativo, y debe, por consiguiente, gozar de ellos el obrero, no podemos soportar en la calma que se nos concedan los medios de vivir por acto de beneficencia»[37].

[35] *Aurora roja,* O. C., I, 265.
[36] *Mala hierba,* O. C., I, 444.
[37] *Comisión de Reformas Sociales,* I, pág. 46. Recogido en *Revista de Trabajo,* ant. cit., págs. 222-23.

Centros de sanidad

Quizá nunca sea tan penetrante la mirada observadora de Baroja como en lo referente a sanidad y enfermedad. No hay que olvidar que el aprendizaje que, como estudiante de Medicina, llevó a cabo le puso en contacto con hospitales, salas de enfermos e instituciones donde se ejercía la medicina. Por eso, su testimonio es especialmente valioso en este caso, ya que a su calidad de creador literario añade su formación como médico y su conocimiento directo, sin duda alguna, de muchas de las cosas y hechos que cita.

A fines del pasado siglo el estado de la mayor parte de los hospitales y centros de sanidad madrileños era bastante deficiente. Casi todos ellos eran construcciones antiguas, situadas en el interior de la población, rodeadas de edificios y viviendas por todas partes y con pocas condiciones higiénicas. Sólo había algunos de edificación reciente, levantados lejos del centro, en las entonces «afueras de la capital».

Los hospitales más antiguos eran el Hospital Provincial, el Hospital de la Princesa, el de Nuestra Señora del Carmen, el de Jesús Nazareno y el de San Luis de los Franceses. Todos ellos atendían a enfermos de procedencia exclusiva madrileña, con la excepción de los dos primeros, que recibían tanto enfermos de Madrid como de otras provincias. Junto a estos hospitales antiguos existían otros más modernos: el Hospital de San Juan de Dios, el del Niño Jesús, el Hospital e Instituto Quirúrgico del doctor Rubio y el Hospital Militar [38].

Las modernas prácticas sanitarias exigían ya que los sanatorios se edificasen en lugares elevados y fuera de la población, pero en Madrid casi ningún hospital se ajustaba a estas normas. Sobresalía especialmente por su importancia en la vida médica de la ciudad el Hospital Provincial, conocido con el nombre de Hospital General, quizá el modelo aumentado de todos los defectos que podían encontrarse en los demás a menor escala.

El Hospital General recibía en sus salas a toda clase de enfermos venidos de Madrid y de provincias y era un vasto caserón adosado al Hospital Clínico del Colegio de San Carlos que se levantaba al final de la calle de Atocha. En una guía de

---

[38] Ph. Hauser, *op. cit.*, I, pág. 398.

las instituciones y edificios de Beneficencia y Sanidad de Madrid publicada en 1883 se dice que el citado Hospital se componía de una serie de largas salas mal ventiladas en las que «había mayor número de camas de las higiénicamente permitidas»[39]. Baroja dice que era «silencioso, tétrico, alumbrado con mecheros de gas»[40]. En este Hospital el joven Baroja inició su contacto con la enfermedad en el tercer año de medicina. Tenemos de él varias versiones literarias, y una totalmente biográfica, en la parte de sus *Memorias,* en que evoca su juventud. Todas ellas coinciden de una manera absoluta y resaltan los mismos aspectos:

«La inmoralidad dominaba dentro de aquel vetusto edificio. Desde los administradores de la Diputación Provincial hasta una sociedad de internos, que vendían la quinina del hospital en las boticas de la calle de Atocha, había todas las formas de la filtración. En las guardias, los internos y los capellanes se dedicaban a jugar, en el arsenal funcionaba también casi constantemente una timba, en la que la postura menor era una perra gorda»[41].

Además de la falta de condiciones higiénicas del hospital y de la inmoralidad que reinaba en la administración y organización, a los enfermos tampoco se los atendía como hubiese sido necesario por su estado de debilidad orgánica. Los mozos del hospital, cuenta Baroja, «llevaban el rancho como soldados, en grandes marmitas colgadas de un palo, que echaban un olor repugnante»[42].

El *menu* hospitalario no debía de ser, en efecto, el más conveniente para un enfermo, porque en la Prensa hemos encontrado noticias sobre la deficiente alimentación del Hospital Provincial: ¿Sabe el director del Hospital Provincial la clase de pan que se da a los enfermos encomendados a su cuidado?—pregunta *El*

---

[39] *Apuntes de Madrid,* cit., pág. 105.
[40] *Aventuras, inventos y mixtificaciones de Silvestre Paradox,* O. C., II, 113.
[41] *Familia, infancia y juventud,* O. C., VII, 591. Quizá la versión barojiana más suavizada del Hospital de San Carlos sea la que el joven autor recoge en un artículo de 1897. Los aspectos negativos del centro hospitalario están ya en ese temprano escrito, pero tamizados por la impresión dolorosa de la enfermedad y la muerte: «El hospital de noche», *La Voz de Guipúzcoa,* 8 de marzo de 1897. (Artículo recogido en *Hojas sueltas,* cit. ant., págs. 262-65, I.)
[42] *Aventuras, inventos y mixtificaciones de Silvestre Paradox,* O. C., II, 113.

Socialista—. «Nosotros—añade—dudamos mucho que los infelices que lo comen, si no tienen una naturaleza privilegiada, puedan librarse de contraer una nueva enfermedad» [43].

De la conjunción de falta de higiene y poca alimentación puede deducirse cuál debía de ser la situación de la mayor parte de los enfermos que pasaban por el Provincial. Según cifras de Hauser para el quinquenio 1895-1899, ingresaron en el Hospital en dicho período 66.314 enfermos, de los que murieron 9.986, es decir, el 15 por 100 [44].

De otros centros hospitalarios también tenemos datos que sirven para completar el cuadro sanitario del Madrid fin de siglo. Vamos a ir anotándolos siguiendo el orden por el que han sido citados al principio del capítulo:

El Hospital de la Princesa, aunque de instalación mucho más moderna que el Provincial, no le iba a la zaga en mortalidad de enfermos. De 1896 a 1900 ingresaron 9.024 enfermos y murieron 1.362. Un 15 por 100 tan revelador como el anterior [45].

El de Nuestra Señora del Carmen, dedicado a ancianos incurables, carecía, según Hauser, de las mínimas condiciones higiénicas exigidas para un establecimiento de esta índole.

El de Jesús Nazareno, también llamado de los Incurables, situado en la calle de Amaniel, era un edificio viejo, medio en ruinas, situado en medio de una calle estrecha, «de casas raquíticas y sucias».

El de San Luis de los Franceses estaba entonces, como hasta hace pocos años, situado en la calle de Claudio Coello y no tenemos noticias sobre su funcionamiento.

De los citados anteriormente con el título de modernos, por lo nuevo de sus instalaciones con respecto a los anteriores, hay que nombrar en primer lugar el de San Juan de Dios. Este hospital había sido fundado en 1552 por Antón Martín y dedicado desde su fundación a enfermos incurables de ambos sexos. En la guía madrileña citada dicen que era por su construcción, situación y emplazamiento, análogo al Provincial, pero que sus defectos eran más graves, dado que las enfermedades que allí se

---

[43] *El Socialista,* 4 de noviembre de 1887.
[44] Ph. Hauser, *op. cit.,* I, pág. 403.
[45] Ph. Hauser, *op. cit.,* I, pág. 407.

9.—LA SOCIEDAD MADRILEÑA...

trataban exigían que tales establecimientos estuviesen fuera de la población.

Baroja, a través de Andrés Hurtado, protagonista del *Arbol de la Ciencia*, estudiante de medicina en Madrid, nos dice que era «un edificio inmundo, sucio, maloliente; las ventanas de las salas daban a la calle de Atocha, y tenían, además de las rejas, unas alambreras, para que las mujeres recluidas no se asomaran y escandalizaran. De este modo no entraba allí ni el sol, ni el aire» [46]. Al joven Hurtado le causa tanta o mayor impresión que la sordidez del edificio el trato que recibían los enfermos. El médico de la sala de mujeres maltrataba a las mujeres allí acogidas «de palabra y de obra... Mandaba llevar castigadas a las enfermas a las guardillas y tenerlas uno o dos días encerradas por delitos imaginarios. El hablar de una cama a otra durante la visita, el quejarse en la cura, cualquier cosa bastaba para estos severos castigos. Otras veces mandaba ponerlas a pan y agua» [47].

Quisiéramos creer que Baroja por boca de Andrés Hurtado está cargando las tintas, pero lo cierto es que hemos podido comprobar su veracidad en noticias aparecidas en la Prensa por los años en que Hurtado debía asistir a los cursos de medicina de San Carlos. En 1885 hay un motín de enfermas en el Hospital de San Juan de Dios a causa de un castigo de seis días a pan y agua. Motivo del castigo: haber sido sorprendidas hablando con personas de la calle del Tinte por la reja» [48].

Un año más tarde vuelven a sublevarse las enfermas de San Juan de Dios y se defienden formando barricadas con colchones, camas y mesas. Eran 84 las enfermas atrincheradas, pedían la libertad de dos enfermas castigadas a varias horas de calabozo y que les fuera concedida la gracia de no ser asistidas por don Alfonso Caro, médico de la sala que había impuesto el castigo [49]. ¿Será el tal don Alfonso Caro el que inspiró a Baroja el médico a que aludíamos antes? Lo cierto es que estas crueles medidas disciplinarias existían, que la Prensa da testimonio de ello, y que en este caso, como en tantos otros, Baroja no hace más que reflejar con toda objetividad la realidad.

---

[46] *El árbol de la ciencia*, O. C., II, 469.
[47] *El árbol de la ciencia*, O. C., II, 463.
[48] *El Imparcial*, 31 de marzo de 1885.
[49] *El Imparcial*, 29 de enero de 1886.

De los restantes hospitales no tenemos noticias concretas, sólo del Hospital Militar habla algo nuestra guía madrileña. Elogia su situación entre el hoy derruido barrio de Pozas y el de Argüelles, por ser de las zonas más sanas de la capital, pero luego añade que el edificio estaba destinado antes a otro objeto y que al estar situado en medio de la población está expuesto a ser foco infeccioso, por un lado, y a recibir, por otro, las emanaciones de los virus que en esos barrios existan [50].

Panorama sanitario desolador. Si la enfermedad suponía en las clases menesterosas una llaga incurable de la que difícilmente se salía, no era muy halagadora la posibilidad de pasar unos días, semanas o meses en el hospital. Sin embargo, ante un presente miserable, y un futuro incierto, el hospital, con sus defectos, debía ser una salida transitoria para el madrileño que se moría de hambre. Así, la literatura barojiana recoge la aventura de un mendigo que «abandonado y sin medios de vivir, inventó una superchería para entrar en el hospital. Había tenido pelagra en las manos y le quedaban cicatrices. El pobre hombre, que conocía a fondo los síntomas de la pelagra, tomó media botella de agua de Loeches y se fue al hospital» [51], del que poco después fue expulsado.

[50] *Apuntes de Madrid...*, cit., pág. 105.
[51] *Aventuras, inventos y mixtificaciones de Silvestre Paradox*, O. C., II, 115.

II

GRUPOS SOCIALES Y CLASES PROLETARIAS EN EL MADRID FIN DE SIGLO

CAPÍTULO V

LA PROSTITUCION EN MADRID

CAUSAS DE LA PROSTITUCIÓN.—LA VIDA EN LA PROSTITUCIÓN.—
REGLAMENTACIÓN DE LA PROSTITUCIÓN

El problema socio-moral que la prostitución planteaba a una sociedad como la madrileña de finales del XIX ha sido captado y reflejado en muchos momentos de la literatura barojiana. Indudablemente la prostitución existía antes y ha existido después, pero quizá nunca como en este momento de profundas transformaciones sociales y económicas llegó a significar tanto y a ocupar a un porcentaje tan considerable de mujeres. Casi todos los grandes escritores del naturalismo decimonónico se ocuparon de la figura humana de la prostituta: recuérdese a Zola, a Tolstoi, a Dostoyewski. Todos ellos pintaron con rasgos dramáticos el personaje de la mujer frecuentemente arrojada de una civilización campesina a la vida urbana, y empujada por la miseria a la prostitución.

Si esta multitud de mujeres no hubiese sido objeto de atención más que de escritores y literatos podríamos pensar que su interés radicaba sólo en su exclusividad, en su posición marginada, pero lo cierto es que por las estadísticas y por los estudios sociológicos que sobre este tema hemos encontrado podemos pensar que no era así. Ante todo, eran un grupo humano que vivía condicionado por su trabajo y profesión, pero aparte de esto, su propia existencia ponía de manifiesto una serie de lacras morales y sociales de las que sólo la sociedad del momento podía sentirse responsable.

Para comprender la vida de la prostituta madrileña de fin de siglo hemos de tratar de desmitificar su figura literaria y de objetivarla. Esto parece difícil, en principio, si vamos a contar con el apoyo documental de un novelista para adentrarnos en el estudio del problema, pero no resulta así si partimos del punto del que parte el propio Baroja: acercarse a ella más por comprender y plantearse su problema que por hacer de ella un personaje literario. Baroja ve a la prostituta con tremenda piedad, pero nunca esa piedad le impide percibir dónde está el origen de su caída. Por tanto, aunque la prostituta sea un personaje querido y repetido en la obra de nuestro novelista [1], nunca la describe como una virgen pura, caída en el fango por la acción de un desalmado que la seduce y empuja vertiginosamente a la corrupción. Antes al contrario, la corrupción es un proceso lento, inherente a un medio y unas causas localizadas que van precipitando a la futura prostituta en un desastre moral definitivo. Eso sí, llegado ese punto no tendrá otra opción ni posibilidad de salir de ahí más que la corrupción a otro nivel quizá más alto social y económicamente. La redención por el amor, tan cara a Tolstoi en *Resurrección,* y tan propia de un moralista piadoso como es el gran escritor ruso, la rechaza Baroja en su tremendo realismo y sólo cuando una vez parece hacer creer al lector que va a operarse dicha redención, es para a continuación hacerle ver que era imposible [2].

¿Cuál de las dos figuras está más cerca de la realidad social, la heroína de Tolstoi o la prostituta irredenta de Baroja? Con los datos que acerca de la prostitución madrileña vamos a ir

---

[1] Desde sus relatos primerizos aparece el personaje de la prostituta. Así, en un pequeño cuento publicado en 1895, la protagonista es una prostituta de origen campesino que marcha a la ciudad y vuelve a morir al pueblo de donde ha salido. Cfr. «Tristezas», *La Justicia,* 27 de marzo de 1895. (Recogido en *Hojas sueltas,* cit. ant., págs. 192-95, I.)
Igualmente en *Vidas sombrías,* primera colección de cuentos del autor publicado en 1900, uno de éstos, «La sombra», es la historia de una prostituta caída y enferma.
[2] Recuérdese a la Justa de *Mala hierba.* Su caso es prototípico. Manuel, el protagonista, la ha conocido siendo una muchacha que trabaja en un taller de costura. Después de ser violada y contagiada por el hijo de un carnicero enriquecido, la enfermedad la obliga a entrar en San Juan de Dios, y allí el ambiente y el contacto con prostitutas la impulsa a lanzarse «a la vida». Su reencuentro con Manuel parece abrir la posibilidad de un cambio de vida, pero al final todo termina en la nada, en la vuelta a la prostitución.

presentando veremos cómo la conclusión barojiana se aproxima mucho más a la realidad, al menos a la realidad española.

El punto fundamental de partida de nuestro estudio va a ser pensar en la prostituta no como una mujer caída perpendicularmente, sino empujada por una serie de causas que actúan lentamente. Es decir, las prostitutas, en general, no presentan un tipo psíquico o físico innato, aunque sí social. De origen humilde, procedentes en su inmensa mayoría de las bajas capas sociales de ciudades y pueblos, suelen ser analfabetas o ignorantes, sin conciencia de su dignidad personal y por tanto incapaces de juzgar la situación en que se encuentran. Ya lo advierte así Baroja en un diálogo que su personaje, Andrés Hurtado, mantiene sobre el problema: ... «son mujeres que no quieren trabajar, mejor dicho, que no pueden trabajar. Todo se desarrolla en una perfecta inconsciencia—y añade—... nada de esto tiene el aire sentimental y trágico que se le supone. Es una cosa brutal, imbécil, puramente económica, sin ningún aspecto novelesco»[3].

El doctor Hauser declara al estudiar la prostitución que «es un engendro malsano de la sociedad misma; pues es ella la que, por su organización deficiente, echa a aquéllas, desprovistas de armas y de medios de defensa para la lucha por la existencia, en los brazos de la prostitución y de la criminalidad. La prostitución es una enfermedad social que participa de los defectos de la organización de la sociedad en que vive y a expensas de la que se nutre»[4].

Vamos a ver, pues, cómo tanto la afirmación barojiana como la del higienista austríaco se ajustaban al caso concreto de la prostitución madrileña, ya que toda ella estaba marcada por el pauperismo, la escasez de trabajo y la ignorancia total de la mujer en las clases populares.

Causas de la prostitución

Sobre las causas que preparan y originan la prostitución madrileña parecen coincidir en los puntos esenciales los más importantes tratadistas del tema a principios de siglo.

Como causa primordial señalan todos ellos el pauperismo

---

[3] *El árbol de la ciencia*, O. C., II, 555.
[4] PH. HAUSER, *op. cit.*, II, pág. 143.

urbano. Así, las prostitutas que desfilan por las páginas de *La lucha por la vida* son la contrafigura del mendigo barojiano, víctimas de esa pobreza congénita de la que difícilmente se escapa. Han caído en la prostitución como el único medio a su alcance de conseguir algún dinero y de ejercer algún tipo de trabajo, porque para otro, desde luego, no están capacitadas. Las hay jóvenes, muy jóvenes, niñas incluso, y viejas y quemadas hasta el agotamiento en la práctica del oficio.

Manuel y su primo Vidal, en sus correrías madrileñas, conocen y hacen amistad con un grupo «de muchachas de trece a dieciocho años, que merodeaban por la calle de Alcalá, acercándose a los buenos burgueses, fingiéndose vendedoras de periódicos y llevando constantemente un *Heraldo* en la mano... Las pobres muchachas necesitaban alguna protección; las perseguían los polizontes más que a las demás mujeres de la vida, porque no pagaban a los inspectores» [5].

Estas niñas habían llegado hasta ahí empujadas por la sombra amenazadora del hambre. Baroja las describe raquíticas, mal nutridas, víctimas, en fin, de un nacimiento y desarrollo miserable.

No creemos que Baroja exagere porque Rafael G. Eslava, jefe de la sección de Higiene por esa época y autor de un estudio sobre la prostitución madrileña [6] habla de las innumerables niñas que aparecían en su negociado pidiendo su inscripción como prostitutas oficiales, con aire raquítico y pobre. Cita un ejemplo de una de unos once años que se presentó allí «diciendo que tenía hambre, y que quería ir a una casa de lenocinio porque sabía que allí les daban de comer a las mujeres».

Debía ser, por tanto, un hecho frecuente encontrar a esas niñas vendiendo periódicos u otras menudencias callejeras como pretexto encubridor. El propio Eslava las cita: «... esas niñas precoces, que con el pretexto de vender periódicos, flores..., se inician apenas cuentan doce años de edad, en los secretos de la prostitución...» [7]. La pobreza era, por tanto, la mejor escuela de aprendizaje.

---

[5] *La busca*, O. C., I, 358-59.
[6] RAFAEL G. ESLAVA: *La prostitución en Madrid*, Madrid, 1900, página 45.
[7] RAFAEL G. ESLAVA, *op. cit.*, pág. 96.

Después del pauperismo hay que citar la escasez de trabajo femenino y lo mal remunerado que generalmente solía estar, aun el muy especializado y cuidadoso.

Madrid, como hemos visto en capítulos precedentes, no es a finales de siglo una ciudad industrial, ni tampoco un gran centro comercial, por lo que las posibilidades de trabajo no eran muchas. Si el trabajo masculino era escaso e insuficiente, más aún el femenino. Los trabajos femeninos habituales son la servidumbre doméstica o la ocupación como costurera, modista, etcétera. Una mujer que trabajaba como modista en un taller de costura ganaba al día 1,50 pesetas, cantidad insuficiente para mantenerse y menos aún mantener una familia. En general, en los matrimonios obreros el sueldo de la mujer y de los hijos significaba una ayuda, una colaboración necesaria a los gastos domésticos, pero el caso era especialmente grave cuando la mujer era cabeza de familia y tenía que hacer frente con este sueldo a todos los gastos familiares.

Por eso no es de extrañar el caso también citado por Eslava de una señora viuda con tres hijos que solicitaba su inscripción como prostituta en el registro de Higiene, y que al tratar de disuadirla exclamase: «¡Que busque trabajo! ¿Dónde? De modista ganaría seis reales diarios; de camisera cuatro; de criada dos, y cualquier otra ocupación no me produciría más. ¿Comerían con eso mis hijos?»[8].

Tanto el movimiento feminista de fines de siglo XIX como cualquier obrera algo instruida, no digamos nada de las politizadas, eran conscientes de que el trabajo era uno de los remedios más eficaces contra la prostitución. Pero no el trabajo de explotación de fábricas y talleres, con míseros sueldos, inferiores a los de los hombres, sino el que procuraba la independencia económica que permitía no tenerse que vender[9].

Indudablemente tal argumentación requería un nivel de instrucción femenino mínimo, que capacitase para llegar a comprender y plantearse con claridad la verdad de esta aseveración. Sin embargo, esta instrucción faltaba y era uno de los impedi-

[8] RAFAEL G. ESLAVA, op. cit., pág. 36.
[9] Cfr. EVELYNE SULLEROT: Historia y Sociología del trabajo femenino, Barcelona, Ediciones Península, 1970, pág. 113.

mentos mayores para liberar a la mujer de su esclavitud como prostituta.

La falta de instrucción mínima colocaba a las mujeres en una situación de inferioridad total, obligándolas en cierto modo a abandonar la idea de ejercer cualquier medio de existencia un poco lucrativo o desahogado. Su ignorancia las empujaba hacia las ocupaciones ínfimas que no exigían ningún tipo de conocimiento especial. Así, entre ellas, muchas de esas mujeres, como señalaba Baroja anteriormente, iban a parar de una manera inconsciente, pero inexorable, a la prostitución. Según Eslava, estadísticas publicadas y observaciones llevadas a cabo sobre el terreno demostraban que pasaban de 75 por 100 las prostitutas que no sabían leer ni escribir [10]. El doctor Navarro Fernández añade unos años más tarde que a las prostitutas matriculadas podía considerárselas en general como analfabetas, ya que sólo un 3 por 100 de ellas sabía leer [11].

Como vemos, las causas económicas y sociales son las que configuran la prostitución. Todos los autores que hemos consultado rechazan el tipo nato de prostituta, no hay rasgos físicos, ni psíquicos que la predispongan a ello desde la cuna, sino lo que ocurre es que a lo largo de una vida prolongada en ese medio van adquiriendo un sello peculiar y característico [12]. Sin embargo, sí que se dan con cierta frecuencia motivaciones que pudiéramos llamar de tipo psicológico: el nacimiento ilegítimo, dato en el que inciden muchas de ellas, la carencia de afecto materno, por muerte de la madre y boda del padre, la promiscuidad en la vivienda y la servidumbre doméstica [13]. Es un hecho curioso el

---

[10] RAFAEL G. ESLAVA, *op. cit.*, pág. 37.

[11] A. NAVARRO FERNÁNDEZ: *La prostitución en la villa de Madrid*, Madrid, 1909, pág. 123.

[12] A. NAVARRO FERNÁNDEZ, *op. cit.*, pág. 125.

[13] De una estadística hecha con jóvenes menores dedicadas a la prostitución y recogidas en el asilo que para jóvenes extraviadas tenían las Trinitarias, sacamos los siguientes datos:

Huérfanas	394
Con padres	434
Sin padre	284
Sin madre	247
TOTAL	1.359

Como puede verse, al lado de las causas enumeradas las motivaciones afectivas desempeñaban también un papel importante en la dedicación de muchas jóvenes a la prostitución. (Datos tomados de A. NAVARRO FERNÁNDEZ, *op. cit.*, pág. 122.)

que si la prostituta ha tenido una profesión anterior sea la de criada de servir innumerables veces. Algunos autores señalan la semejanza que existe entre esta servidumbre privada y la pública. Las criadas estaban sometidas a las alternativas de una oferta abundante y cuantiosa y en verano solían quedarse sin colocación, momento que aprovechaban los explotadores para atraerlas. El mayor contingente de prostitutas madrileñas salía de la servidumbre, un 27 por 100, según Eslava [14], siguiéndole después muy de lejos otras profesiones generalmente relacionadas con la costura, que arrojaban un 6 por 100. El 67 por 100 restante, del que Eslava no indica su procedencia, es fácil imaginar que fuese en su mayoría reclutado entre otras profesiones ejercidas principalmente por las clases pobres, ya que como el propio Eslava también señaló el 24 por 100 de las prostitutas madrileñas eran víctimas del pauperismo.

La vida en la prostitución

La entrada en la prostitución podía hacerse por la vía oficial o por la clandestina. Ser prostituta inscrita en la sección de Higiene con patente y garantía reconocida venía a significar tanto como ser prostituta hasta la muerte, porque de ahí se podía salir difícilmente.

Las mujeres matriculadas eran en 1899 más de 2.000 [15]. A principios del siglo XX, según datos del doctor Salillas, eran aproximadamente 1.000, repartidas de la siguiente forma:

Casas de lenocinio	119
Casas de citas	92
Huéspedas matriculadas en las casas	343
Exentas del pago al médico, que se reconocen en las mismas	60
Mujeres que ejercen libremente y presentan certificado	438
Total	1.052 [16]

A esas cifras había que agregar más de cien mujeres reconocidas, pero no inscritas, hasta que acreditasen la edad con la

---

[14] Rafael G. Eslava, *op. cit.*, pág. 93.
[15] Rafael G. Eslava, *op. cit.*, pág. 92.
[16] Datos citados por A. Navarro Fernández, *op. cit.*, págs. 113-14, como tomados del doctor Salillas.

partida de nacimiento y las menores que ejercían, a pesar de ser duramente perseguidas.

Estas prostitutas reconocidas tenían dos posibilidades: la de vivir como huéspedas en una casa de prostitución o mancebía, o la de ejercer la profesión libremente, llamándose entonces carreristas. Las que vivían bajo la dependencia de una dueña en una mancebía eran una minoría. Según Eslava, de esas 2.000 que señalaba antes sólo vivían como pupilas unas 400. La pupila era una verdadera esclava y el régimen al que estaba sometida por la dueña uno de los sistemas de explotación humana más abyecto de esos momentos. La vida en el prostíbulo era una carrera progresiva hacia el embrutecimiento y la degradación total: los largos y pesados sueños de la mañana se unían y encadenaban con las noches pasadas en vela, entre alcohol, juergas y trato con hombres de las más diversas categorías y clases. Como dice Baroja, cada «ama de esas casas ha visto sucederse y sucederse generaciones de mujeres; las enfermedades, la cárcel, el hospital, el alcohol, van mermando estos ejércitos» [17].

Quitando las casas de prostitución de primera clase, que solían estar instaladas con gran lujo, las demás dejaban bastante que desear, y la prostituta solía vivir mal. «Duermen en cualquier rincón, amontonadas—describe Baroja—no comen apenas, les dan unas palizas brutales y cuando envejecen y ven que ya no tienen éxito, las cogen y las llevan a otro pueblo sigilosamente» [18].

En esta situación infrahumana escapar del burdel era casi imposible, porque la explotación se extendía hasta sus personas, y en la mayor parte de los casos las deudas las atenazaban y si intentaban escaparse «las denunciaban como ladronas» [19].

El régimen de mancebía, aunque englobaba a una minoría de prostitutas legales, en momentos de crisis social, como fueron para España los últimos años del pasado siglo, tendía a tener alzas repentinas. Así, el doctor Bombín, que fue jefe médico de la sección de Higiene, calculaba en 150 el número de mancebías madrileñas en 1889 [20], pero Eslava habla en su estudio de que

[17] El árbol de la ciencia, O. C., II, 555.
[18] El árbol de la ciencia, O. C., II, 554.
[19] El árbol de la ciencia, O. C., II, 555.
[20] Dato suministrado por BERNALDO DE QUIRÓS y LLANAS AGUILANIEDO: La mala vida en Madrid, Madrid, 1901, pág. 251.

en un solo año de los últimos del siglo se habían inscrito en Madrid 127 nuevas casas de lenocinio [21]. Nosotros sólo podemos añadir que muchas de las calles más céntricas de Madrid estaban ocupadas en aquellos años por mancebías que fueron poco a poco desalojadas y los rótulos de las calles cambiados. Recordemos, por ejemplo, la calle de Ceres, a la que Baroja consideraba tan especializada en asuntos eróticos que justamente podría llamarse la calle del Amor [22].

Si la prostituta oficial no quería ejercer la profesión como pupila, su otra opción era la vida de carrerista, «que comprendía desde la golfa pajillera hasta la buscona de gran representación, elegante y altiva» [23]. La carrerista tenía una mayor independencia, su libertad era total; podía trabajar donde quisiera y elegir a su gusto. Sólo les estaba vedado por el reglamento las primeras horas del día; su momento de acción era la noche. La carrerista terminaba sus días en la prostitución, si antes no moría por enfermedad o por homicidio, ya que la muerte violenta figura en uno de los primeros lugares como causa de la mortalidad de las prostitutas [24]. Su envejecimiento en el oficio era especialmente dramático cuando a la edad iba unida la miseria, formando ese bajorrelieve monstruoso que Baroja nos pinta en su descripción de la «Taberna de la Blasa», en el barrio de las Injurias madrileño:

> «Recostadas en la pared, se veían unas cuantas mujeres feas, desgreñadas, vestidas con corpiños y faldas haraposas, sujetas a la cintura con cuerdas.
> —¿Qué son estas mujeres?—preguntó la pintora.
> —Son golfas viejas—contestó Leandro—de ésas que van al Botánico y a los desmontes» [25].

En su desamparo la prostituta buscaba la protección y el amor entregado por libre decisión y lo encontraba en el chulo, figura ligada enteramente a la prostitución y en una gran parte de los casos por su ocupación y profesión a la golfería o la delincuencia, como veremos más adelante.

[21] RAFAEL G. ESLAVA, *op. cit.*, pág. 85.
[22] *Aurora roja*, O. C., I, 530.
[23] BERNALDO DE QUIRÓS y LLANAS AGUILANIEDO, *op. cit.*, pág. 252.
[24] BERNALDO DE QUIRÓS y LLANAS AGUILANIEDO, *op. cit.*, pág. 257.
[25] *La busca*, O. C., I, 305.

El chulo maltrataba a la prostituta, le sacaba el dinero y vivía a expensas de ella. Baroja nos cita el caso de un golfo, *El Chilina,* que explotaba a una mujer tagala, *La Manila,* que «ganaba algunos céntimos entregándose a los hombres por aquellos descampados» [26].

El golfo explotaba a la tagala sin ningún miramiento y cuando ella se negaba a entregarle el dinero la maltrataba:

«... Vino la *Manila,* el *Chilina* se acercó a ella a pedirle el dinero que había ganado...

—No tengo más que unos céntimos—dijo ella.

—Te los habrás gastado.

—No; es que no he ganado.

—A mí no me vienes tú con infundios. Venga el dinero.

Ella no replicó. El le dio una bofetada, luego, otra; después, furioso, la echó al suelo, la pateó y le tiró de los pelos. Ella no lanzaba ni un grito.

Al fin, ella sacó de la media unas monedas, y el *Chilina,* satisfecho, se marchó» [27].

El chulo, dicen Quirós y Llanas, maltrataba a la prostituta de palabra y obra, y ésta, lo mismo que las mujeres del pueblo, no reconocía el amor sino bajo esas formas [28]. No podemos admitir esta afirmación tan categórica como cierta porque la *Manila* de Baroja parece expresar en su tristeza la profunda humillación sufrida y el propio Quirós señala en otra parte de su estudio sobre las relaciones de la prostituta con el chulo que en las capas superiores de la prostitución la prostituta cambia al chulo por un protector que paga, no pega, y la ampara en los problemas que pueda tener con la Administración y la justicia [29].

De cualquier manera, lo que sí parece ser bastante cierto es que entre la prostitución y la delincuencia existe una simbiosis y que un tanto por ciento elevado de chulos inician sus primeros pasos en la delincuencia al amparo de la prostitución.

---

[26] *Aurora roja,* O. C., I, 627. Los descampados a los que se refiere el novelista eran los que estaban situados alrededor de la Patriarcal y del Tercer Depósito.

[27] *Aurora roja,* O. C., I, 629.

[28] BERNALDO DE QUIRÓS y LLANAS AGUILANIEDO, *op. cit.,* pág. 315.

[29] BERNALDO DE QUIRÓS y LLANAS AGUILANIEDO, *op. cit.,* pág. 312.

Según Eslava, en Madrid más de un 60 por 100 de los criminales habían seguido esta iniciación[30]. El joven delincuente suele ser muchas veces el explotador de una prostituta, que con frecuencia suele ser mucho mayor que él y está prematuramente envejecida en el oficio.

Ilustrando estas cifras de Eslava nos viene a la memoria la relación entre el *Bizco* criminal y Dolores la *Escandalosa,* ladrona y prostituta, mucho mayor que él; la de Manuel con la Justa durante su vida de delincuente con la *Combi;* la de su primo Vidal, golfo semidelincuente, con la Flora y tantas otras mujeres del oficio.

Reglamentación de la prostitución

Tanto las pupilas de mancebía como las carreristas eran prostitutas sujetas a una serie de reglas impuestas por la ley a las que tenían que someterse. La primera de ellas era darse de alta en los registros de la sección de Higiene, cosa relativamente fácil de conseguir, si se era mayor de veinticinco años. Su nombre de inscripción en el registro no solía coincidir con su nombre de pila: cada una elegía el que más de acuerdo estaba con sus gustos, tomando muchas un apodo que conservaban durante toda su vida como «nombre de guerra». Al lado del nombre propio, y del adoptado, figuraba la edad, estado y domicilio de la titular. En el acto de la inscripción se le extendía a la prostituta la cartilla o librito sanitario, para anotar en el mismo el resultado de los reconocimientos médicos y los cambios de domicilio.

Todas las mujeres públicas estaban sujetas a dos reconocimientos semanales que verificaban los médicos de la sección de Higiene. Los derechos que por estos reconocimientos tenían que abonar mensualmente, y por adelantado, las prostitutas y dueñas de prostíbulos eran los siguientes:

Amas de casas toleradas de 1.ª clase, al mes.	20,00 ptas.
Idem de 2.ª	15,00 »
Idem de 3.ª	10,00 »
Huéspedas de 1.ª clase	5,00 »
Idem de 2.ª	2,50 »
Amas de casa de paso de 1.ª clase	50,00 »

[30] RAFAEL G. ESLAVA, *op. cit.,* pág. 80.

Idem de 2.ª y 3.ª	De 10 a 25 ptas.
Mujeres con domicilio individual, al mes.	5,00 ptas.
Idem carreristas	2,50 » [31]

Por cada cartilla abonaban una peseta.

En caso de enfermedad eran atendidas en la sala especial que para enfermedades venéreas se encontraba en el Hospital de San Juan de Dios, no pudiendo ser tratadas en este hospital más que llevando la cartilla del Gobierno Civil, o lo que es lo mismo, siendo una mujer pública reconocida.

Si era relativamente fácil inscribirse en la prostitución, ya no lo era tanto darse de baja. En este caso resultaba casi imposible borrarse de las listas del registro. No podían abandonar la prostitución más que demostrando que llevaban algún tiempo de vida honrada, que tenían medios de subsistencia, y presentando un fiador que respondiera delante del director administrativo de que no volverían a ser prostitutas. Como dice un tratadista del tema «valiera más que a la que toma cartilla se le advirtiera que contrae la obligación de morir siendo mujer pública, y al menos esta disposición tendría el mérito de la franqueza y de la claridad» [32]. O como también señalaba Hauser «estas condiciones draconianas equivalen a una obligación espontánea de morir prostituta, lo que constituye la negación absoluta de todo principio moral» [33].

Al lado de esta prostitución reglamentada y legalizada existía una clandestina varias veces mayor que la oficial. Según F. Vahillo, en 1872 había 17.000 mujeres en Madrid que se prostituían clandestinamente. El doctor Bombín la calculaba en unas 15.000 hacia 1900. Esto significa que la prostitución clandestina venía a ser siete veces mayor que la autorizada. Las posibilidades de estudio y datos sobre ella eran muy difíciles, casi imposibles, pero ateniéndonos a los citados podemos concluir, con Bernaldo de Quirós, que en la situación social de Madrid a finales de siglo, la prostitución venía «a ser una de las labores más propias del sexo femenino, a la cual, con mayor o menor asiduidad, y con más o menos gusto o repugnancia, se dedicaban un número

[31] A. NAVARRO FERNÁNDEZ, op. cit., pág. 95.
[32] GONZÁLEZ FRAGOSO: La prostitución en las grandes ciudades, Madrid, 1887.
[33] PH. HAUSER, op. cit., II, pág. 147.

136

considerable de mujeres de todas las edades, de todos los estados, de todas las profesiones y de todas las clases de la sociedad» [34].

A decir verdad, la prostitución clandestina ocupaba a criadas, obreras de toda clase de oficios, vendedoras y mujeres de la burguesía. Sólo entre las pensionistas parece, según testimonio de Eslava, que pasaban de un 80 por 100 las que se dedicaban a la prostitución debido a la escasa cantidad que percibían como pensión [35].

Ante una enfermedad social que presentaba en esos momentos síntomas tan alarmantes las autoridades tomaron la decisión de reglamentarla en la medida de lo posible, ya que la mayor parte de ella, la prostitución clandestina, escapaba a su jurisdicción. Al legislar se insistió en todo lo concerniente a la ordenación y reglamentación de la prostitución oficial y reconocida, pero no se atajó el mal en las causas y orígenes que lo provocaban. No deja de resultar extraño que un reglamento, a veces tan injusto como hemos visto en el caso del abandono de la vida pública, se cebase en las víctimas más débiles y pobres y dejase en libertad, y amparando en la mayor parte de los casos por el propio orden y edificio social, a las más fuertes.

En efecto, muchos tratadistas y conocedores del problema abogaron por la supresión de toda reglamentación, sobre todo teniendo en cuenta que el punto fuerte de toda argumentación a favor, la posibilidad de contagio y transmisión de enfermedades venéreas, no se resolvía con la legislación porque para ingresar y ser tratada en el hospital se necesitaba ser prostituta oficial, con lo que las clandestinas, sobre todo las ricas, no buscaban albergue en el hospital, sino en la clínica particular. Por eso, como decía el doctor Navarro, de todos los tratadistas del tema el mejor conocedor del problema—a juzgar por su magnífico libro sobre la prostitución madrileña—«cuando se ha querido reglamentar no se ha hecho sino matricular la prostitución pobre».

A principios del siglo xx el reglamento sobre prostitución había ido desapareciendo de todos los países del norte de Europa, donde la mujer había alcanzado un nivel de autonomía y dignificación a través del trabajo. Los Congresos Internacionales de Higiene venían a ratificar una y otra vez la supresión de

---

[34] Bernaldo de Quirós y Llanas Aguilaniedo, *op. cit.*, pág. 235.
[35] Rafael G. Eslava, *op. cit.*, pág. 67.

los reglamentos aduciendo como prueba los ejemplos de países como Inglaterra, Suiza, o los Estados Escandinavos, donde se habían suprimido las leyes y habían disminuido considerablemente las enfermedades venéreas.

El reglamento español, además de adolecer de graves faltas, no ofrecía ninguna garantía a la salubridad pública. El principio por el que hacerse prostituta significaba morir en la prostitución, no poder escapar de ella, como citábamos antes, constituía «la negación absoluta de todo principio moral», y por otra parte, para ser tratada en el Hospital de San Juan de Dios era necesario inscribirse, hecho que estimulaba a cualquier joven que por una serie de circunstancias: hambre, ignorancia, etc., había sido empujada a la prostitución a enfilarse decididamente en ella.

Además, tanto las amas de los prostíbulos como las prostitutas hemos visto que cotizaban al Estado una cantidad por derechos y servicios prestados. Con este impuesto se aceptaba y protegía la prostitución como legal y por eso, un personaje barojiano, que trabaja como médico de Higiene, no puede menos de exclamar al hablar del amparo que el Estado prestaba a la prostitución:

Las prostitutas oficiales no tienen ninguna defensa ni derecho, «ni nombre, ni estado civil, ni nada. Las llaman como quieren, todas responden a nombres falsos ... En cambio, las celestinas y los matones están protegidos por la policía, formada por chulos y por criados de políticos» [36].

Las prostitutas cotizaban por los servicios de reconocimiento facultativo, cosa totalmente injusta, ya que al ser un servicio obligatorio, con el que se trataba de proteger más a sus víctimas posibles que a ellas mismas, debía haber sido gratuito.

Todavía más absurdo resulta este impuesto obligatorio, si, como sucedía, la inspección médica funcionaba bastante mal y, sobre todo, con poca seriedad. En principio los médicos de la sección de Higiene tenían que ser nombrados por oposición, pero el gobernador solía nombrarlos a su antojo. Dice Hauser que por lo general estas plazas se concedían por recomendación, «recayendo la elección muchas veces en personas no muy expertas en enfermedades sifilíticas, que solían ser reemplazadas continuamente».

---

[36] *El árbol de la ciencia*, O. C., II, 555.

La afirmación de Hauser coincide con un episodio de la novela barojiana antes citada en la que Andrés Hurtado, médico joven, escéptico, con poco sentido vocacional, llega a encontrar un puesto como médico de Higiene por la recomendación de un amigo de su padre:

«Un amigo del padre de Hurtado, alto empleado en Gobernación, había prometido encontrar un destino para Andrés..., un día le dijo:
—Lo único que podemos darle usted es una plaza de médico de Higiene que va a haber vacante. Diga usted si le conviene, y si le conviene le tendremos en cuenta.
—Me conviene.
—Pues ya le avisaré a tiempo» [37].

A la ineficacia médica se unía en muchos casos la imposibilidad de reconocer a fondo y con seriedad a las enfermas; debido unas veces a los manejos de las patronas y otras a la escasez de medios para llevar a cabo con garantía el reconocimiento.

La patronas burlaban cuando podían las normas de Higiene: escondían a las pupilas enfermas o a las no matriculadas. «La casa donde viven—dicen unas prostitutas que escriben al médico barojiano antes citado—se comunica con otra. Cuando hay una visita del médico o de la autoridad, a todas las mujeres no matriculadas las esconden en el piso tercero de la otra casa» [38].

Por lo general, resultaba difícil reconocer a fondo en las habitaciones de los prostíbulos de segunda y tercera categoría, mal ventiladas y faltas de luz. El examen la mayor parte de las veces era puramente formulario. Igual sucedía en la sala destinada a este fin en el Gobierno Civil, pues no tenía luz, ni reunía los mínimos requisitos exigidos para un reconocimiento médico [39]. Como además había muchas mujeres matriculadas y sólo recibían ocho médicos, el reconocimiento se hacía pronto y mal.

En cuanto a la asistencia que recibían las prostitutas atacadas por enfermedades venéreas en el Hospital de San Juan de Dios no es preciso insistir porque ya hemos hablado de ello en

---

[37] *El árbol de la ciencia*, O. C., II, 549.
[38] *El árbol de la ciencia*, O. C., II, 554.
[39] PH. HAUSER, *op. cit.*, II, pág. 152.

el capítulo cuarto de este trabajo. No había agua suficiente, estaba sucio, la comida era de mala calidad y las curas diarias se hacían con luz artificial en las mismas camas donde dormían. El sistema de organización de las salas de mujeres recordaba más a una cárcel que a un hospital. Los castigos estaban a la orden del día, de todas clases: desde dejarlas sin cartas, hasta encerrarlas en las guardillas del hospital [40]. Ya hemos citado en el capítulo sobre los hospitales un caso de éstos que refleja Baroja en un relato. Sólo nos queda para reafirmarlo recoger lo que en su día el doctor Bombín dijo, alegando que todo reglamento era opuesto a la moral y atentaba a la personalidad: «El sistema preferible es el de dejar que la prostituta se cure como pueda, y si contagia, que se la castigue, pero que no se la hospitalice en San Juan porque es un hospital-cárcel y un centro de desmoralización» [41].

Para terminar hemos de reconocer que nada parece que venían a solucionar las leyes, sino legitimar una actividad que el Estado no podía dejar de tolerar porque nacía de unas causas económicas y sociales muy concretas y no podía desaparecer mientras los factores condicionantes no se extinguiesen.

Al reconocer y reglamentar la prostitución el Estado pasaba a protegerla y estimularla, sin con ello evitar ninguno de los riesgos e inconvenientes que para la higiene y moral pública suponía. El fracaso de la reglamentación estatal se pone de manifiesto cuando se contemplan las estadísticas de mortalidad por sífilis en Madrid durante los años 1891-1900 del cuadro IV, o la relación de jóvenes menores de 25 años arrancadas a la prostitución y albergadas transitoriamente en el Asilo de la Santísima Trinidad.

---

[40] A. NAVARRO FERNÁNDEZ, op. cit., págs. 127-28. Como se verá también, el doctor Navarro, que fue médico en el Hospital de San Juan de Dios, coincide en lo de los castigos con Baroja, y las noticias de Prensa recogidas al hablar de los hospitales (cap. IV de este trabajo).
[41] Opinión del doctor Bombín citada por A. NAVARRO FERNÁNDEZ, op. cit., pág. 247.

CUADRO IV.—MORTALIDAD ANUAL EN MADRID POR LA SÍFILIS

MORTALIDAD EN MADRID EN EL DECENIO DE 1891-1900 POR LA SIFILIS

Años	Enero	Febrero	Marzo	Abril	Mayo	Junio	Julio	Agosto	Septiembre	Octubre	Noviembre	Diciembre	TOTALES
1891	10	6	6	4	4	5	7	7	3	15	4	6	77
1892	7	6	10	9	17	9	7	12	8	8	7	11	111
1893	10	11	7	6	7	7	15	8	3	8	8	19	109
1894	6	8	10	6	14	4	11	8	3	6	7	7	91
1895	5	6	12	25	15	7	7	7	8	5	3	5	105
1896	6	2	5	17	12	7	5	1	2	7	4	6	74
1897	6	3	6	6	10	—	2	4	—	2	5	1	45
1898	6	4	3	4	11	9	9	—	1	4	9	6	66
1899	10	12	14	15	12	22	10	10	7	7	5	6	130
1900	12	28	17	10	4	8	9	10	8	15	4	8	133
TOTAL	78	86	90	102	106	78	82	67	44	77	56	75	941 [42]

[42] PH. HAUSER, op. cit., II, pág. 131.

ESTADISTICA DE LAS JOVENES EXTRAVIADAS ALBERGADAS EN EL ASILO DE LA SANTISIMA TRINIDAD DESDE 1885 A 1908

De doce años	38
De trece	49
De catorce	146
De quince	156
De dieciséis	133
De diecisiete	157
De dieciocho	163
De diecinueve	101
De veinte	135
De veintiuno	106
De veintidós	84
De veintitrés	45
De veinticuatro	47
De veinticinco	19
TOTAL	1.399 [43]

Es decir, las leyes no acabaron ni con la enfermedad, ni con las condiciones que empujaban a la mayor parte de esas jóvenes extraviadas a la prostitución. En cambio ayudaron a enriquecer con el infamante comercio de la carne humana a muchos especuladores sin escrúpulos.

---

[43] A. NAVARRO FERNÁNDEZ, *op. cit.,* págs. 107-08.

Capítulo VI

GOLFOS Y DELINCUENTES

Los golfos.—Los delincuentes.—Los golfos
DE LA CLASE MEDIA

El mundo de los inadaptados y de los marginados ocupa
abundantes páginas de la literatura barojiana. Entre los marginados quizá ninguno haya alcanzado en su obra más categoría
de protagonista, aparte de las prostitutas, que los golfos. De
aquéllas ya hemos hablado, quédanos ahora, por tanto, ocupar-
nos de los golfos.

¿Qué es el golfo? se pregunta Baroja en un artículo publicado en 1900. La palabra se aplica a individuos tan diferentes
que parece difícil de definir. Tratando de penetrar en toda su
complejidad Baroja define al golfo como «un hombre desligado
por una causa cualquiera de su clase, sin las ideas ni las preocupaciones de ésta, con una filosofía propia, que es, generalmente, negación de toda moral». El golfo no es patrimonio exclusivo de una clase social: está el golfo pobre, el miserable, pero
también existe el golfo medio y el golfo aristocrático. El golfo
es un detrito de las distintas clases sociales, concluye diciendo
nuestro autor [1].

Bernaldo de Quirós, al igual que Baroja, define al golfo
como un producto de la degeneración social, «un ser que ha

---

[1] *El tablado de Arlequín,* artículo titulado «Patología del golfo»,
O. C., V, 55-59. En un texto muy semejante a *Patología...* recoge Baroja
muy tempranamente sus impresiones sobre los golfos. Cfr. «Golfos»,
La Voz de Guipúzcoa, 12-IV-1897. (Artículo recogido en *Hojas sueltas,*
citado anteriormente, págs. 265-70, I.)

perdido las condiciones de sustentación económica por un lado y las de estabilidad por otro»[2]. El golfo no tiene ni familia, ni domicilio, ni actividad conocidas.

Vamos a ver cómo estas características se reflejan en la literatura barojiana y cómo a su vez ésta es un reflejo de la realidad social madrileña; cómo «el golfo no es un mendigo, ni un ratero, ni un desocupado; es una forma que ha nacido de nuestro raquítico medio social»[3].

Los golfos

Según la clase de la que proceda la vida de golfo puede iniciarse en la infancia o empezar más tarde. Entre el subproletariado del extrarradio madrileño, los golfos casi más que hacerse nacen ya abocados a la golfería: «Entre los miserables, el golfo no es un holgazán, si de niño no va a la escuela es porque tiene que andar a la busca para comer, y eso le distrae todas las horas del día»[4]. Muchos de los golfos que salpican las páginas de la trilogía madrileña *La lucha por la vida* pertenecen a esta clase. Han salido de los barrios populares más míseros y todos pertenecen a esa infancia abandonada que forma el semillero de la futura criminalidad. Son los pilluelos madrileños que pueden ser mirados con alegre desenfado o con tristeza infinita. «Travieso, procaz, atrevido, dispuesto a todo, inteligente, tiene más inclinación a las granujadas que revelan perversidad que a las travesuras que descubren ingenio»[5], dice de ellos Gil Maestre, que fue subdirector general de Seguridad y, como tal, persona experta en asuntos de delincuencia.

Abandonado, libre de la tutela familiar, el golfo madrileño busca en su infancia todos los medios que le son propicios para procurarse el sustento. Recoge colillas como el chiquillo expósito de *La busca,* ocupación con la que podía ganar hasta «setenta céntimos» diarios, cantidad que pagaban en el Rastro por un cuarto de kilo de tabaco, que es lo que podía recoger en un día;

---

[2] Bernaldo de Quirós y Llanas Aguilaniedo, *op. cit.,* pág. 12.
[3] *Patología del golfo,* O. C., V, 55.
[4] *Patología del golfo,* O. C., V, 57.
[5] Manuel Gil Maestre: *Los malhechores de Madrid,* Gerona, 1889, página 28.

pesca pececillos en los estanques del Retiro y de la Casa de Campo, cangrejos en la Moncloa; arranca tablones en las vallas, que cambia en las pastelerías por escorza; sube equipajes en la estación, arrastra organillos...» [6]. Ocupaciones todas ellas que más que «perversidad», como decía el autor citado, lo que revelan es necesidad.

En *La busca* un tipo acabado de este golfo desvalido es «el chiquillo astroso, horriblemente feo y chato, con un ojo nublado, los pies desnudos y un chaquetón roto», que tropieza Manuel en la ronda de Toledo. No conoce a sus padres, ha salido de la Inclusa y no tiene domicilio ninguno conocido.

—... ¿No has tenido nunca casa?—le pregunta Manuel.

—Yo, no.

—¿Y dónde sueles dormir?

—Pues en el verano en las cuevas y en los corrales, y en el invierno, en las calderas del asfalto.

—¿Y cuando no hay asfalto?

—En algún asilo.

—Pero, bueno, ¿qué comes?

—Lo que me dan [7].

A su vagabundeo une una serie de ocupaciones diversas que van desde recoger colillas hasta vender arena, y cuando no logra obtener ningún beneficio va al cuartel de María Cristina a buscar el rancho.

De su género de vida dimanan los caracteres sociales y morales del golfo. Como señala Bernaldo de Quirós sus modales son poco honestos; sus juegos y bromas, brutales [8]. Cuando el golfo se reúne con otros de su clase se pasan el tiempo hablando de mujeres, robos y crímenes. En sus conversaciones a Manuel le sorprende cómo uno cuenta que «a un viejo de ochenta años, que dormía furtivamente en un cuchitril formado por cuatro esteras en el lavadero del Manzanares «El Arco-Iris»; le abrieron una noche que corría un viento helado dos de las esteras y al día siguiente lo encontraron muerto de frío» [9].

[6] *Patología del golfo*, O. C., V, 57.
[7] *La busca*, O. C., I, 341.
[8] BERNALDO DE QUIRÓS y LLANAS AGUILANIEDO, *op. cit.*, pág. 37.
[9] *La busca*, O. C., I, 343.

Por otra parte, las diferencias que le separan del grupo humano del que procede no son sustanciales. Como resalta Bernaldo de Quirós, tienen el mismo índice cefálico, talla, cultura y creencias que la mayor parte del pueblo madrileño pero lo que los distingue netamente de él son dos factores: su carácter vagabundo y las marcas impresas por su tipo de actividad.

Así, su carácter inestable les da una incapacidad total para el trabajo. No es que no trabajen, lo que no toleran es el trabajo regular, metódico, repetido todos los días. Sus ocupaciones tienen que dejarles siempre un amplio margen de libertad, un cúmulo de horas de ocio, aunque luego puedan estar en tensión durante horas o días si la situación lo requiere. Tampoco pueden tolerar la presencia de un amo o un patrón, aunque trabajen para alguien, o tengan acuerdos con otro, esta relación nunca es de servidumbre o dependencia. Su vida está además marcada por una serie de factores externos, comunes a todos los individuos que forman un grupo marginado dentro de la sociedad: un sobrenombre, que se impone al propio y por el que son conocidos; una jerga [10], que los distingue de los demás y les confiere una clave para defenderse, y un tatuaje.

Por eso el *Bizco,* otro magnífico personaje de este bajo mundo golfante barojiano, a su sobrenombre une una manera de hablar propia: «torpemente, rellenando sus frases con barbaridades y blasfemias» y un tatuaje que le cubría los brazos y el pecho compuesto de «cruces, estrellas y nombres» [11].

Estos golfos pobres, como señala Baroja, son completamente inconscientes; «sus culpas son las culpas de la sociedad que los abandona» [12]. Pero a su lado aparece el golfo de procedencia social menos ínfima, el que es segregado de su clase en un proceso de desprendimiento o descenso social; por ejemplo, Manuel y Vidal en *La busca.*

Ambos son golfos no nacidos, sino conformados por las circunstancias. Sus orígenes son parecidos, los dos pertenecen a la baja clase media: el padre de Manuel era maquinista de tren, el de Vidal, zapatero. En un proceso de descenso social, por

---

[10] Véase SALILLAS: *El lenguaje, estudio filológico, psicológico y sociológico,* Madrid, 1896.
[11] *La busca,* O. C., I, 301.
[12] *Patología del golfo,* O. C., V, 57.

muerte de su padre la madre de Manuel pasa a ser sirvienta en una pensión, y Manuel un muchacho semiabandonado entre parientes y amigos. Vidal, por su parte, tras la muerte de su hermano Leandro y el abandono del negocio familiar, es también empujado por las circunstancias hacia la golfería, por la cual tiene una inclinación natural más acentuada que Manuel.

La suerte de estos golfos como la de los anteriores se juega al pasar de la infancia a la juventud. Al llegar la pubertad muchos adoptan un oficio y se integran en la sociedad [13]. Así, Manuel intentará aprender un oficio y ser útil, aunque luego vuelva a caer por algún tiempo en la golfería. Otros, la mayor parte, los que no dan el salto se quedan en la mala vida, pero su situación puede ser a veces ambigua: mientras unos entran decididamente en la delincuencia, otros no pasan y permanecen en esa frontera incierta de las profesiones inmorales y poco recomendables.

Los delincuentes

El golfo que opta por la mala vida pasa «a engrosar las filas de los estafadores, ratas, espadistas y demás caballeros», dice Baroja. El mundo de estos delincuentes era enorme y muy variado en el Madrid de esta época, según lo demuestra el estudio de Gil Maestre sobre *Los malhechores de Madrid*. Sólo en especialidades y oficios dentro de la delincuencia señala este autor hasta 25 con nombres y ocupaciones distintas. Según una estadística de la Dirección General de Seguridad, en Madrid en el año 1887 se cometieron 2.441 delitos y 6.119 faltas [14]. Las quejas son continuas en la Prensa:

«Está llamando poderosamente la atención el considerable número de robos que todos los días se cometen en Madrid. En el mes que acaba de finalizar, la criminalidad ha aumentado de un modo temible, sin duda por la impunidad que en la mayor parte gozan los rateros, timadores, tomadores y ladrones de alta talla» [15].

O: ... «Ya que el señor gobernador civil de la provincia no

---

[13] Bernaldo de Quirós y Llanas Aguilaniedo, *op. cit.*, pág. 38.
[14] M. Gil Maestre, *op. cit.*, pág. 3.
[15] *El Imparcial*, 3 de enero de 1885.

se ocupa de otra cosa, podía velar por la seguridad del vecindario de esta corte.

Decimos esto, no con ánimo de molestar al señor Liniers, que demasiado sabemos que a su excelencia se le da un ardite de las censuras de la Prensa, sino porque, en honor a la verdad, son tantos los delitos que en Madrid se cometen hace algún tiempo contra las personas y haciendas de los que en él viven, que vale la pena de ir pensando en aminorar tan grave mal»[16].

El campo del delincuente era amplio en una ciudad donde la reforma penitenciaria apenas si existía y donde un subproletariado famélico y abandonado no tenía en su infancia más escuela que la del vicio. Así, los pilluelos y golfos pasan a la delincuencia sin apenas tener que forzar las fronteras. Sus primeros pasos son siempre el robo o el timo a pequeña escala. Los principiantes nutren las filas de los «randas» que actúan por los barrios bajos y van pasando luego hacia el centro de la ciudad a medida que sus robos se van haciendo más difíciles y productivos. Veamos cómo cuenta Baroja que empezaron Vidal y el Bizco su vida de randas:

«Vivían Vidal y el Bizco de randas, aquí cogiendo una manta de un caballo, allá llevándose las lamparillas eléctricas de una escalera o robando alambres del teléfono, lo que se terciaba. No iban al centro de Madrid porque no se consideraban todavía bastante diestros»[17].

La sociedad formada por Vidal y el Bizco, a la que se añade más tarde Manuel, vive unos meses actuando por los barrios bajos y el extrarradio madrileños. Tan pronto trabajan como ganchos en el Rastro, para decidir a los curiosos a apostar en un juego inventado por otro golfo, el Pastiri, como planean robos pequeños en las afueras de Madrid y en los pueblos próximos a la capital: «La sociedad de los Tres—nos dice el novelista—funcionó por las afueras y las Ventas, la Prosperidad y el Barrio de Doña Carlota, el Puente de Vallecas y los Cuatro Caminos, y si la existencia de esa sociedad no llegó a sospecharse ni a pasar a los anales del crimen, fue porque sus fechorías se redujeron a modestos robos, de los llamados por los profesionales

---

[16] El Globo, 20 de mayo de 1899.
[17] La busca, O. C., I, 337.

al descuido» [18]. El robo de mayor envergadura que planean es el de desvalijar una casa abandonada en las Ventas. El proyecto resulta fallido, y tanto Manuel como Vidal, que viven en esa difícil frontera que oscila entre la delincuencia y la golfería deciden abandonar al *Bizco*—que es el delincuente nato—y trabajar por su cuenta. Manuel intentará un trabajo honrado y Vidal pasará a la rufianería de las profesiones inmorales, convirtiéndose en un golfo medio, asociado en sus enjuagues y trabajos con las altas esferas del mundo burgués y aristocrático. Con él compartirá esta vida Manuel durante algún tiempo, hasta que con el asesinato de Vidal tome conciencia de su situación y pase a emprender definitivamente una vida de obrero honrado.

La frontera entre la golfería y la delincuencia es tan débil que apenas puede señalarse. «Hay notables equilibristas que se pasan toda la vida en equilibrio inestable, pero sin caerse, merodean en los alrededores del Código Penal, y no hay artículo que los agarre... Estos puntos generalmente cambian de ocupación como de camisa, pero siempre los oficios que encuentran son descansados y les permiten echar un quince de vez en cuando» [19]. Podían desempeñar trabajos que iban desde prestamistas, ganchos de casas de juego, hasta chulos y encargados de una casa de citas. Cualquier tipo de ocupación que proporcionase beneficios y no requiriese mucho esfuerzo.

Eran ayudantes y colaboradores del político, del aristócrata, que los utilizaba para lograr sus objetivos. «El golfo aristócrata y el político utilizaban muchas veces al pincho y al matón. Unas veces hay que hacer un chantaje, otras propinar una paliza a alguien que estorba, y para la ejecución de altas obras los bravos suelen ser utilísimos», dice Baroja [20].

Es decir, existía una relación de intereses entre los miembros de la golfería y ciertas capas de la aristocracia y la política. De esa simbiosis nos ofrece abundantes ejemplos la literatura barojiana: recuérdese la amistad de la baronesa con Mingote, hombre que había ejercido todos los oficios que pueden ejercerse no siendo persona decente, la de la Coronela con los estafadores el *Cojo* y el *Maestro*, la de esta misma, antigua prostituta dedica-

[18] *La busca,* O. C., I, 353.
[19] *Patología del golfo,* O. C., V, 58.
[20] *El tablado de Arlequín,* artículo titulado «Mala hierba», O. C., V, 42.

da a la usura, con la marquesa de Buendía, con un ex diputado y un ministro [21].

El prototipo de mixto de delincuente y golfo lo realiza Vidal, que expresa toda su filosofía moral en un diálogo que mantiene con su primo Manuel:

«—Hombre, eso depende de lo que tú llames granuja-da. ¿A engañar le llamas granujada? Pues hay que engañar. No hay otra cosa: o trabajar o engañar, porque lo que es regalarte el dinero, que te conste que no te lo han de regalar.
—Sí, es verdad.
—¡Pero si es que eso lo tienes en todo! Negociar y robar es lo mismo, chico. No hay más diferencia que ne-gociando eres una persona decente, y robando te llevan a la cárcel...» [22].

Viviendo en la cuerda floja, Vidal intenta prosperar, conver-tirse en un golfo de buen tono que actúa en el centro de la ciudad, alterna con señores y señoras y es dirigido desde lejos por una mafia, diríamos hoy, en cuya cúspide «hay gente gorda».

En este camino hacia el éxito nada puede quebrarse, a no ser que el mixto de delincuente y golfo se encuentre con la cárcel. Si la cárcel le retiene, su salida de allí será todavía peor, porque en realidad los centros penitenciarios eran los lugares más indicados para formar, adiestrar y envilecer a los malhecho-res. «Las condiciones de los edificios, el régimen, la ociosidad casi forzada, parecían reunirse en todas ellas para que la correc-ción, la eficacia del castigo y la enmienda del culpable, tantas veces proclamadas en los códigos», no fueran más que ingenuas aspiraciones nunca logradas [23].

Desde el encarcelamiento de niños de sólo nueve años, hasta la instalación de dormitorios y patios comunes, todo en esas

---

[21] Todos los personajes aludidos corresponden a la novela *Mala hierba* y aparecen en distintas etapas del relato muchas veces entremezclados, por lo que consideramos inútil citar todas las páginas en las que se hace referencia a ellos, ya que sólo una lectura total de la novela nos descubre esa interrelación de intereses entre las distintas capas sociales de «golfos madrileños».

[22] *Mala hierba*, O. C., I, 481.

[23] MANUEL GIL MAESTRE, *op. cit.*, pág. 310.

cárceles fin de siglo resultaba aberrante. Si la cárcel del Saladero había sido ya derribada y con ella habían desaparecido los defectos inherentes a un sistema penitenciario injusto y desfasado, no parecía por el momento más prometedora la reglamentación de la Cárcel Modelo o de la Celular. Todo lo que fuera regeneración se perdía y en su lugar se perfeccionaba la educación criminal, empezando por los niños que se convertían en el vivero de la delincuencia habitual, y terminando en los adultos, que salían de ella en peores condiciones morales que habían entrado.

Los golfos de la clase media. Los repatriados

Poco interesado Baroja como escritor por la mentalidad psicológica y moral social de la llamada clase media, tiene, sin embargo, a nuestro entender el mérito de haber sabido descubrir en una minoría de este grupo social una serie de elementos que coinciden en sus puntos esenciales con lo que hemos definido como «golfo», aunque se distinguen de los golfos pobres y harapientos por el carácter especial que les concede su clase y sus profesiones. «Entre los golfos de la clase media hay un sinnúmero de variedades—dice el novelista—. ... Hay el estudiante perezoso y ávido de placeres, el empleado con un sueldo mezquino, el periodista que emplea el chantaje para vivir, el médico de sociedad que gana diez duros al mes por trabajar todo el día, el picapleitos que vive del chanchullo y de la estafa legal, el zurupeto de la puerta de la Bolsa, el cómico sin contrata, el empresario sin un cuarto, y, últimamente, todos los socios de la sagrada cofradía del Sable» [24].

Si un golfo, como hemos dicho antes, es un *declassé,* un hombre desligado de su clase, sin las ideas y preocupaciones de ésta, cualquiera de los individuos burgueses que Baroja citaba anteriormente se ajustan a esa definición. Según nuestro autor, el hombre de la calle, la gente, «identificó con su instinto certero el merodeador de las afueras con el perezoso del café. Vio que entre ellos había algo común y a los dos los llamó golfos» [25].

---

[24] *Patología del golfo,* O. C., V, 58.
[25] *Final del siglo XIX y principios del XX,* O. C., VII, 664.

Bernaldo de Quirós define a esta clase de golfos con el apelativo de fracasados y caídos.

De estos golfos de café, de esta bohemia golfante, que marca con un sello muy particular la vida madrileña finisecular, nos ha dejado Baroja retratos imperecederos. Los artistas: escultores, pintores, literatos, que desfilan ante los ojos de Manuel, el niño-golfo abandonado de *La busca,* cuando trabaja en un taller de escultor forman un bajorrelieve rico en tipos de esta clase:

«Eran casi todos ellos de malos instintos y de aviesa intención. Sentían la necesidad de hablar mal unos de otros, de injuriarse, de perjudicarse con sus maquinaciones y sus perfidias y al mismo tiempo necesitaban verse y hablarse»[26].

Si la alegría, la despreocupación, es la actitud propia del golfo joven, a estos fracasados los caracterizaba el pesimismo. Los más rebeldes se afiliaban en los partidos políticos radicales, y los más adaptables, hacían a toda clase de oficios, muchos de ellos en estrechísima relación con la delincuencia[27]. Perdidos los valores morales de clase, los valores llamados burgueses y no sustituidos por otros, lo que los movía era el más puro egoísmo y en este camino cualquier vía era aceptable.

Entre estos caídos sitúa Bernaldo de Quirós a los repatriados, los cuales, como no podía ser menos, también aparecen en *Mala hierba.* La incapacitación social de los repatriados se produjo por razones distintas a las de los otros golfos. Al volver de la guerra de Cuba y Filipinas, sin trabajo y sin posibilidad de encontrarlo, muchos individuos se encontraron irremediablemente desplazados y rechazados por una sociedad en la que no tenían cabida. Baroja los recoge como personajes característicos del Madrid fin de siglo; paseando su miseria y desocupación por las calles de Madrid, o codeándose con golfos y delincuentes e inmersos en su mismo universo de valores e intereses. El llamado *Repatriado* de Baroja es un golfo con trazas de mendigo que «no encontraba empleo ni servía tampoco para trabajar, porque se había acostumbrado a vivir a salto de mata»[28], y buscaba un convento donde comer y algún sitio donde dormir.

Es necesario conocer cuál era la situación de los soldados

---

[26] *Mala hierba,* O. C., I, 390.
[27] BERNALDO DE QUIRÓS y LLANAS AGUILANIEDO, *op. cit.,* pág. 40.
[28] *Mala hierba,* O. C., I, 471.

repatriados a su vuelta a España para darse cuenta de hasta qué punto esta versión barojiana del repatriado medio golfo y medio mendigo no es un arreglo literario, sino una realidad social.

Con la crisis que la guerra produjo para un soldado que volvía de Cuba era especialmente difícil encontrar trabajo, porque, como ya vimos desde los primeros años de la Regencia de María Cristina, en Madrid el trabajo no abundaba. El ex soldado de Cuba lleva en la ciudad una vida precaria, que se hace más angustiosa a medida que las oleadas humanas de repatriados se van precipitando sobre Madrid:

«Dentro de poco habrá en Madrid unos 12.000 repatriados que al tenerse que ganar el pan diariamente hacen dificilísima la vida del jornalero, ya que las obras no aumentan con arreglo al número de brazos que requieren ocupación» [29].

Su situación es especialmente grave por el hecho de que, en general, casi todos ellos habían sido mal pagados o no pagados en absoluto durante la campaña bélica. Al volver a España el Estado les debía pagas atrasadas o «alcances» que tenía que liquidarles, pero que lo hacía con demora y dificultad. En estas circunstancias, después de sucesivas reuniones y protestas reclamando los alcances, a los repatriados no les debía de quedar más disyuntiva que optar por la golfería del barojiano, resignarse, o suicidarse. Ya apunta esta solución el repatriado de *Mala hierba* cuando dice: «Después de todo, voy teniendo suerte. Cuando no me he muerto este invierno es que ya no me muero nunca» [30].

Y era cierto, porque resistir debía de requerir una capacidad que no todos tenían, a juzgar por las noticias que hemos encontrado en la Prensa:

«Fue encontrado en la calle del Amparo el cadáver de un hombre como de treinta años que no ha podido ser identificado.

A juzgar por la ropa que vestía, debía ser un repatriado» [31]

En el Hospital Militar de Carabanchel se suicidó ayer, ahorcándose de un cinturón, el soldado del batallón expedicionario de Filipinas número 8 Agustín Valencia [32].

[29] *El Globo,* 20 de febrero de 1889.
[30] *Mala hierba,* O. C., I, 471.
[31] *El Globo,* 16 de septiembre de 1899.
[32] *El País,* 24 de abril de 1900.

O:

«Ayer intentó suicidarse, arrojándose al estanque del Retiro, un hombre de cuarenta años, repatriado de Cuba, donde sirvió en la Guardia Civil.

El hambre fue la causa de que el infeliz atentara contra su vida, y tal era el deseo que tenía de suicidarse, que se ató los pies y las manos, arrojándose después al estanque» [33].

Sin salidas, desligados de su clase, la vida de golfo era una opción para los repatriados, bien en la categoría más ínfima o en el escalón intermedio de la jerarquía delincuente como Calatrava, el *Cojo* de *Mala hierba* que había estado voluntario en Cuba y después de distinguirse por su valor en muchas acciones volvió a España de sargento «sin porvenir y con un retiro ridículo» y «como tenía una inteligencia clara y despierta, estudió metódicamente todos los procedimientos conocidos de la estafa» y después de medir sus riesgos, decidió dedicar sus actividades a las casas de juego [34].

---

[33] *El País,* 25 de junio de 1900.
[34] *Mala hierba,* O. C., I, 485. Para mayor información sobre el tema de Baroja, la guerra de Cuba y sus implicaciones sociológicas, véase nuestro artículo «Baroja y la guerra de Cuba», *Insula,* núms. 308-309, julio-agosto 1972, págs. 11-12.

Capítulo VII

EL MUNDO DE LOS TRABAJADORES

Oficios, jornadas, salarios.—Condiciones de instalación e higiene de los talleres y fábricas.—Trabajo de menores.—Industria tipográfica.—Industria panadera

Del mundo vagabundo y golfo de las afueras madrileñas va Baroja acercándose al mundo del interior de la ciudad, al mundo del trabajo. La vida laboral madrileña de esos años conservaba todavía un carácter artesano, unos rasgos propios de una ciudad que no había sufrido todavía las intensas transformaciones de la industrialización, pero que, sin embargo, empezaba a cambiar. Así, aunque sin tener ni ocupar a una gran masa de trabajadores, tenía Madrid algunas industrias modernas que empleaban una mano de obra bastante numerosa—la fábrica del gas, los talleres de ferrocarriles—, y unos oficios artesanos que competían con ellas. Si este mundo obrero no imprimía carácter a la ciudad, que continuaba siendo preferentemente artesana y burocrática, sí constituía un aspecto importante de ella, en plena evolución al terminar el siglo y comenzar el nuevo, debido a los importantes contingentes de trabajadores que desde el campo, como ya hemos visto en capítulos anteriores, iban llegando a la ciudad.

Nuestro propósito es trazar un panorama de la vida laboral madrileña de estos años. Para ello, como Baroja sólo nos habla y proporciona datos de ciertos oficios y aspectos, enriqueceremos las aportaciones barojianas con otros testimonios tomados de fuentes de la época. Nos ocuparemos de los aspectos sociales del

155

tema; es decir, jornada de trabajo, salarios, talleres y fábricas en que se desarrollaba, trabajo de menores, etc. De la exposición de todo ello habrán de deducirse las condiciones negativas en que estos trabajos se realizaban y la indudable repercusión que en la vida del país debía de tener la solución de problemas sociales tan importantes.

A pesar de la información que sobre la vida del trabajador madrileño hemos encontrado en diversas fuentes, resulta un poco difícil hacer una lista completa de todos los oficios e industrias que ocupaban a la mano de obra obrera. Intentaremos hacer una exposición de los más frecuentes y después examinaremos detenidamente dos oficios muy arraigados en la vida madrileña, de los que Baroja se ocupa por haberlos conocido de cerca: la tipografía y la panadería. El primero de ellos tuvo un lugar destacado en la vida obrera del Madrid finisecular, y Baroja lo conoció directamente a través de las imprentas y redacciones de periódicos; el segundo, es ya de sobra conocido que ocupó unos años de su vida, de 1896 a 1898, en una panadería que se levantaba en la esquina de las calles de Capellanes y Misericordia y era propiedad de la tía del autor.

Oficios, jornada, salarios

Empecemos por una utilísima lista de oficios y ocupaciones presentada a la Comisión de Reformas Sociales por uno de los informantes que participaba en nombre del Ateneo. Empieza la lista [1] con los sastres, refiriéndose, no a los patronos, sino a los asalariados de la confección. No nos da el informante el jornal que estos obreros percibían, pero sí nos habla de que su jornada de trabajo durante seis meses del año era de once horas diarias, reduciéndose la otra mitad del año a cinco horas, contando con un paro estacional en el que «los jornaleros más afortunados tienen trabajo a duras penas cuatro días por semana».

Siguen a los sastres los carpinteros, oficio artesano bastante extendido que podía realizarse igual que ahora, en un taller o en una obra, a jornal estipulado previamente, a contrata, o a destajo. El jornal de un carpintero por término medio en Madrid

---

[1] *Comisión Reformas Sociales,* II, págs. 139-41.

era de «catorce a dieciséis reales» y si había ocasión de darles trabajo por su cuenta ganaban más, «por trabajar con más afán, más número de horas y aun días festivos» [2]. Fuera de estos trabajos personales la jornada normal era de once horas como máximo y nueve como mínimo.

En la construcción, actividad que absorbía una mano de obra bastante numerosa, la jornada era por término medio de diez horas, aunque como señalaba un trabajador, que informó oralmente a la Comisión en nombre de la Sociedad de Canteros, en su oficio no se trabajaba por horas «porque esto no tiene cuenta a los explotadores, sino de sol a sol»[3]. El jornal era de 37 céntimos de peseta por hora, lo cual a razón de diez horas de trabajo representaba un jornal de 14 ó 15 reales diarios.

En la albañilería, la jornada laboral venía a ser la misma que para los canteros: diez horas diarias, y el jornal aproximadamente el mismo [4].

Los obreros metalúrgicos tenían una jornada de once horas, escasez de trabajo y un sueldo que no pasaba de 13 reales diarios [5].

No estaban en mejores condiciones otros obreros, por ejemplo, los de la fábrica de gas. La cuadrilla de destajistas empleada en el arrastre de carbones estaba compuesta de 19 hombres que no cobraban jornal tipo, sino 1,15 pesetas por cada tonelada de carbón que transportaban en espuertas. En las diez horas de trabajo que tenían diariamente transportaban de 49 a 51 toneladas, con lo que ganaban como término medio un jornal de 12 reales diarios [6].

---

[2] *Comisión Reformas Sociales,* II, pág. 488.
[3] *Comisión de Reformas Sociales,* I, pág. 106.
[4] Decimos aproximadamente porque no tenemos datos concretos como en el caso de los canteros, pero lo deducimos de una nota de Prensa del año 1900, en la que aludiendo a una huelga de albañiles, al hablar de las bases de transacción que los albañiles presentan para terminar la huelga, reclaman una jornada de nueve horas en los meses de abril a septiembre y de ocho en los restantes, un salario de 0,50 céntimos la hora para los oficiales, 0,40 para los ayudantes y 0,30 para los peones. Esto, a nuestro juicio, indica una protesta contra el salario existente de 0,37 ó 0,40 la hora seguramente *(El País,* 13 de julio de 1900).
[5] *Comisión de Reformas Sociales,* II, pág. 556. La respuesta escrita enviada al cuestionario de la Comisión por la «Sociedad de trabajadores en hierro y demás metales» está recogida en *Revista de Trabajo,* antes citada, págs. 432-38.
[6] *El Globo,* 10 de mayo de 1899.

No mucho mejores eran los salarios de los panaderos y los tipógrafos, como más adelante veremos, y peores eran los de los cocheros de Madrid. Las condiciones en que éstos prestaban servicio no podían ser más tiránicas: tenían que entrar a las cinco de la mañana, no tenían hora determinada para almorzar, hacían guardias que duraban cuarenta y dos horas consecutivas, se los trataba malamente, recibiendo incluso castigos corporales, y por todo esto recibían un salario de 10 reales diarios teniendo que costearse ellos personalmente los guantes, cuellos, corbata e impermeable [7].

En los trabajos femeninos las condiciones venían a ser aún peores. En general, las mujeres realizaban dos tipos de trabajo: unos dentro de casa, otros en el exterior. Dentro de los trabajos que las mujeres podían realizar sin salir de su casa los más extendidos eran los de costurera, hilandera, planchadora, modista y sastra.

Las costureras cosían para particulares o para tiendas. Solían realizar la faena con máquina, generalmente una Singer comprada a plazos de diez reales semanales [8]. Baroja cuenta en *Mala hierba* cómo la Salvadora, huérfana refugiada con su hermano pequeño en una corrala donde vive durante algún tiempo Manuel, es recogida por éste y por su amigo Jesús y logra después de tres meses de ahorros comprar en «una casa de empeño una máquina de coser nueva», con la que se gana la vida trabajando como costurera y compartiendo su trabajo con las faenas domésticas [9]. Esta clase de costureras, que no tenían una jornada de trabajo fijo, cobraban por pieza terminada y su jornal solía ser de 0,75 a 1,25 pesetas por camisa entregada para las tiendas, poniendo ellas el hilo. A particulares la pieza de cosido alcanzaba escasamente los cinco céntimos [10].

Las hilanderas no ganaban mucho más. Su jornal era de 1,50 por libra de hilo, y una libra de hilo requería varias horas de trabajo. El de planchadora era uno de los oficios femeninos más duros. Era necesario ejecutarlo de pie, sostener un peso im-

---

[7] *El Globo,* 3 de marzo de 1899. (Datos tomados de la carta de un cochero despedido por su patrón dirigida al periódico el 26-II-1899.)

[8] *Comisión de Reformas Sociales,* II, pág. 151. Véase también *Revista de Trabajo,* ant. cit., págs. 316-20.

[9] *Mala hierba,* O. C., I, pág. 452.

[10] *Comisión de Reformas Sociales,* II, págs. 151-52.

portante y soportar una temperatura ambiente elevada. La planchadora instalada en el sotabanco madrileño era una de las figuras más características de un Madrid desaparecido, que aún conserva alguno de estos raros especímenes en barrios populares actuales que han evolucionado poco sociológicamente. Su precio por lavar y planchar una camisa era de 0,75 céntimos y de ahí había que descontar el coste de lavandera, almidón y carbón[11].

Las modistas ganaban para malvivir. Para lograr un jornal mediano era preciso ser una buena maestra en aquellos momentos en que en el oficio había tanta competencia de todas clases. Un personaje de una novela barojiana tiene amistad con una modista que gana y se bandea bien debido a su capacidad de trabajo. Solía éste asistir con frecuencia al taller de costura de su amiga y ver cómo las muchachas estaban trabajando «doce y catorce horas al día, y ganaban, la que más, dos pesetas»[12]. Las sastras, que trabajaban en la confección de prendas de caballero, tenían un sueldo que no excedía tampoco las dos pesetas diarias.

Fuera del hogar había otra porción de trabajos femeninos que iban desde obreras, generalmente como auxiliares de fábrica, hasta asistentas y criadas.

El trabajo de obrera en las fábricas solía ser tan duro y penoso como el masculino, pero solía pagarse y apreciarse en la mitad. Vamos a tomar como prototipo el de la Fábrica de Tabacos, empresa que empleaba entre su sede de Madrid y las otras provincias a unos 26.000 operarios, de los cuales la inmensa mayoría eran mujeres[13].

Según la información que la Dirección General de Rentas Estancadas envió a la Comisión de Reformas Sociales, los tipos de salario para las obreras de la Fábrica de Tabacos eran los siguientes:

Máximo	3,50 ptas.	(16 reales)
Término medio	1,50 »	(7 »)
Mínimo	0,75 »	(3 »)

Las operarias destinadas a faenas generales en estos establecimientos percibían un jornal de 2,50 pesetas en Madrid (en provincias sólo 2), y sólo las obreras de una habilidad excep-

---

[11] *Comisión de Reformas Sociales*, II, pág. 151.
[12] *La sensualidad pervertida*, O. C., II, pág. 910.
[13] *Comisión de Reformas Sociales*, II, pág. 37.

cional, que trabajaban en labores especiales, podían llegar a ganar 5 pesetas diarias. La jornada laboral empezaba en verano a las siete de la mañana, y en invierno a las siete y media, terminando al oscurecer el día, por lo que puede calcularse en unas diez horas de trabajo diarias [14].

Si no se empleaban como obreras podían también las mujeres realizar fuera de casa el trabajo de lavanderas, oficio expuesto a toda clase de enfermedades, especialmente bajo los rigores del frío, ya que el lavado se realizaba a la intemperie; el de costureras a domicilio, con jornal corto y variable; el de ama de cría, que no solía estar mal pagado cuando, como sabemos, se dirigía a clientes particulares; el de asistenta, que solía consistir en ir a cuatro o cinco casas al día para sacar un jornal exiguo; y el de criada de servicio, cantera inagotable de trabajo femenino, en una ciudad como Madrid donde la clase media podía permitirse el lujo de pagar una criada dado lo ínfimo de los salarios que éstas percibían. El prescindir de la criada ya sabemos hasta qué punto significaba un descenso en la escala social por lo que conservar esta institución, semipaternalista y semifeudal, era algo casi heroico en la clase media venida a menos [15]. Dentro de las criadas de servicio había muchas clases, que iban desde la doncella de la gran señora, pasando por la cocinera —personal éste diríamos cualificado—hasta la chica para todo. Esta clase era la más frecuente, la que absorbía toda la mano de obra recién llegada del campo.

Solían cobrar un salario que no pasaba de las 20 pesetas mensuales y comían mal, porque frecuentemente se alimentaban con las escasas sobras de la mesa de los señores [16]. De las condiciones infrahumanas en que estas muchachas solían estar en la mayor parte de los pisos de la clase media madrileña nos hablan todavía elocuentemente esas habitaciones dedicadas al servicio: faltas de luz, de ventilación, y colocadas en el último rincón de la casa. Prácticamente no tenían jornada de trabajo, pues estaban de servicio permanente desde que se levantaban, hacia las

---

[14] *Comisión de Reformas Sociales,* II, pág. 37.
[15] Recuérdese al respecto el magnífico análisis que de este fenómeno en la clase media venida a menos hace Pérez Galdós en *Misericordia,* por citar una vez más una fuente literaria que sirve ya hoy como auténtico testimonio de un pasado histórico.
[16] *Comisión de Reformas Sociales,* II, pág. 154.

siete de la mañana, hasta que se acostaban los señores y nunca podían retirarse antes de haberlo hecho ellos, e incluso acostadas podían los señores requerirlas en cualquier momento para cualquier nimiedad.

Resumiendo, podemos deducir de todo lo expuesto que el trabajo era igual o superior al masculino, pero estaba aún peor pagado, porque en la mentalidad de la época se consideraba a éste como auxiliar y secundario y en el plano familiar como ayuda, aunque como hemos visto por los salarios masculinos, la ayuda no era superflua, sino necesaria. Así, no es extraño que la Fábrica de Tabacos tratara de justificar el jornal reducido de sus operarias diciendo que podía considerarse como «auxilio de la familia» [17].

Con la ayuda, o sin la ayuda de la mujer, hemos visto que los salarios resultaban a todas luces insuficientes si recordamos el precio de los artículos de primera necesidad y de las viviendas, que hemos dado en los capítulos II y III de este trabajo.

Podemos a la vista de todo lo expuesto establecer como sueldo tipo del obrero no especializado el de 12 a 16 reales diarios, por una jornada media de diez horas, cantidad ínfima para mantener una familia en el Madrid de estos años. Por esto los obreros de distintos ramos que presentaron informes a la Comisión de Reformas Sociales insisten una y otra vez en los mismos puntos:

«Considerad el precio a que están en Madrid los artículos necesarios para la vida, suponed que el obrero tenga tres o cuatro de familia y comprenderéis que no tiene más remedio que vivir en déficit» [18].

O:

«Descontando de los 365 días que tiene el año 52 domingos, más 20 fiestas religiosas que hacen 72, nos quedan 293 días laborables, que, al tipo de 3,50 pesetas de salario, dan un producto de 1.025,50 pesetas, las cuales, divididas entre 365 días que tiene el año, suponen para cada día 2,81, de las que separaremos 65 céntimos para el casero (y es muy poco, porque el alquiler corriente asciende a más) y nos quedan 2,16 pesetas para comer, beber, vestir y ahorrar para enfermedades, cédula

---

[17] *Comisión de Reformas Sociales*, II, pág. 37.
[18] *Comisión de Reformas Sociales*, I, pág. 98.

de vecindad, etc. Véase, pues, cómo un jornal de 3,50 pesetas, distribuido de la manera más económica posible, no es lo bastante para un matrimonio sin hijos. Pero ¿y el que no gana tanto? El pobre peón de albañil que tenga mujer y un par de hijos y no gane más que seis o siete reales ¿qué va a hacer?... Pues ése se ve en la necesidad de implorar la caridad pública» [19].

Difícilmente podríamos encontrar un resumen de la situación más explícito y claro que el que acabamos de transcribir del señor Rivera, carpintero que habló ante la Comisión de Reformas Sociales de esta forma en una sesión celebrada el 11 de enero de 1885. La situación era tan grave que no sólo los obreros, sino la misma burguesía liberal habría de reconocer el déficit constante al que la familia obrera vivía sometida. Un informante por el Ateneo decía de esta manera:

«Lo insignificante del salario del obrero reduce los recursos de la familia hasta el punto de hacer imposible toda previsión y prudencia. El salario, cuando más, es solo suficiente para atender a las primeras necesidades del día, y el menor descuido, el accidente más insignificante, un paro, por breve que sea, el aumento de familia y a veces hasta la inesperada rotura de unos zapatos, produce resultados tan funestos en el presupuesto de una familia obrera, que suelen frecuentemente confundirse con los efectos del vicio o del desorden» [20].

Condiciones de instalación e higiene de los talleres y fábricas

Las largas jornadas de trabajo resultaban más agotadoras e insoportables por las condiciones en que estaban instalados la mayor parte de los talleres y fábricas madrileñas y la poca seguridad que ofrecían al trabajador sus instalaciones.

Una de las preguntas que la Comisión de Reformas Sociales hacía en sus Cuestionarios dirigidos a los trabajadores y a la opinión en general era sobre las condiciones de instalación y salubridad de los obradores y fábricas. Las respuestas son contundentes: todas coinciden en subrayar la falta de higiene y seguridad en el trabajo.

Un representante, que informa en nombre de la Sociedad de

---

[19] *Comisión de Reformas Sociales*, I, págs. 189-90.
[20] *Comisión de Reformas Sociales*, II, pág. 117.

Canteros, habla de cómo a las siete de la mañana, en pleno invierno, tenían que ir a romper el hielo de las herramientas con la mano, «aguantar el sol cuando sale, el agua cuando llueve... sin otro amparo que unos trozos de estera» [21]. Este no era, desde luego, el mejor medio de combatir las enfermedades de las vías respiratorias, plaga que asolaba especialmente a las clases populares madrileñas según demuestra Hauser en su estudio ya tantas veces citado.

En los talleres, las condiciones no eran mejores. Eran antihigiénicos, reducidos, sin luz, sin agua, y faltaban elementos para que las obras y trabajos se ejecutasen con la debida perfección.

Hablando del taller de carpintería que tenía el Palacio Real, un obrero dice que estaba situado «a 35 ó 40 metros de profundidad, en una cueva oscura como boca de lobo» y añade que si en los talleres de Palacio se tenía de esta forma a los obreros, nada de extraño tenía que un particular los tuviera metidos en cuadras [22].

En la Fábrica de Tabacos parece que las salas de labor de los establecimientos antiguos «dejaban bastante que desear en sus condiciones de higiene y salubridad». Aunque los locales eran espaciosos, altos de techo, bien ventilados, estaban «demasiado hacinados los operarios en muchos de ellos; y esto, unido a las emanaciones del tabaco, que se desarrollan en las operaciones de su manipulación, hace que se respire una atmósfera densa, insoportable a veces en la estación de los calores» [23].

En el año 1901 la Junta local de Reformas Sociales de Madrid nombró unas comisiones para inspeccionar establecimientos y fábricas y denunciar públicamente los abusos y atropellos. La comisión encargada de inspeccionar los distritos de Hospital y Congreso encontró que en una fábrica de vidrio de la calle Canarias, número 9, situada en un antro inhabitable, el calor de los hornos asfixiaba a los hombres, y éstos, sin más descanso que el preciso para comer, trabajaban desde las cinco de la mañana a las cinco de la tarde [24].

---

[21] *Comisión de Reformas Sociales*, I, pág. 86.

[22] *Comisión de Reformas Sociales*, I, pág. 171.

[23] *Comisión de Reformas Sociales*, II, pág. 33.

[24] *El Socialista*, 18 de octubre de 1901. La comisión nombrada por la Junta Local de Madrid estaba integrada por los señores Nicoli y Cas-

En los distritos de Centro y Buenavista, la comisión formada por los señores Serna y Castellanos halló una fumistería situada en la calle Alcalá, números 6 y 8, donde los obreros encargados de pintar los tubos de hierro trabajaban en un sótano sin ventilación. Por otro lado, en un taller de zapatería de Caballero de Gracia, 11, tres obreros guarnecedores ocupaban un espacio de 2,20 por 1,10 y tenían consigo una máquina[25].

La consecuencia más grave de esta precariedad en las instalaciones y mantenimiento de industrias era el elevado número de accidentes de trabajo con la particularidad de que un accidente era para el obrero una desgracia irreparable, porque no existía una seguridad social que cubriese estos imprevistos.

Los accidentes de trabajo ocupaban siempre algunas líneas de los periódicos. Es raro el día que no aparece alguno y muy frecuentes los días en que son reseñados varios. Los accidentes más corrientes son los producidos por caídas, lo que revela la poca seguridad del andamiaje.

Así, tenemos: «Un obrero que trabajaba ayer tarde en las obras del antiguo Hospital Militar, tuvo la desgracia de caer de un andamio, sufriendo tan grave conmoción, que en estado agónico pasó a la Casa de Socorro del distrito de Palacio.

En la misma obra se cayó también el obrero Santos García. Se ocasionó algunas erosiones»[26].

O en el mismo mes, unos días más tarde: «El operario Luis Moreno Pascual tuvo la desgracia de caerse al arreglar unos cables en el paseo de Santa Engracia, sufriendo conmoción cerebral»[27].

Otras veces, el accidente pone de manifiesto negligencia en las medidas de seguridad, como, por ejemplo, en estos casos que recogemos también de la Prensa del momento:

«En el Gabinete Médico de la Estación del Mediodía ingresó ayer, para ser curado, un obrero de 51 años, llamado Tomás García, que sufría una gran insolación.

tellanos, representando a los patronos, y García Quejido, tipógrafo, y Serna, carpintero, por los obreros.
[25] *El Socialista*, 4 de octubre de 1901.
[26] *El Globo*, 3 de septiembre de 1899.
[27] *El Globo*, 20 de septiembre de 1899.

El infeliz falleció al ingresar en el Hospital provincial» [28]

O: «... en la fábrica de luz eléctrica situada en la calle de Trafalgar... se están llevando a cabo hace algunos meses obras de gran importancia en las que trabajan muchos obreros.

Varios de éstos se ocupaban ayer mañana de arrastrar una inmensa caja que contenía materiales de máquinas, hasta una grúa que había junto a un foso.

Ya habían conseguido colocar la caja en el borde del foso, cuando de pronto y sin que nadie pudiera evitarlo, aquélla se precipitó en el fondo, arrastrando a seis infelices operarios que cayeron debajo del armatoste» [29].

Trabajo de menores

Si los accidentes de trabajo afectaban casi tanto como las enfermedades a la clase obrera, había otro fenómeno si cabe más injusto, que contribuía a debilitarla más y tenía su origen en la defectuosa organización del trabajo: el empleo de menores como mano de obra.

Ya sabemos que el empleo de niños y niñas menores era uno de los lucros más notables de la industria capitalista en todo el mundo. En España, y concretamente en Madrid, esta explotación se practicaba todavía a principios del siglo XX, a pesar de existir una ley de 1873 que lo prohibía. Esta ley del 24 de julio de 1873 sobre el trabajo de niños y niñas establecía en sus artículos 1.º, 2.º, 3.º y 4.º que no serían admitidos al trabajo en ninguna fábrica, taller, fundición, o mina los niños y las niñas menores de diez años; que no excedería de cinco horas cada día en cualquier estación del año el trabajo de los niños menores de trece años, ni el de las niñas menores de catorce; que tampoco excedería de ocho horas el trabajo de los jóvenes de trece a quince años, ni el de las jóvenes de catorce a diecisiete; y, por último, que no trabajarían de noche los jóvenes menores de quince años, ni las jóvenes menores de dieci-

---

[28] *El País*, 26 de julio de 1900.

[29] *El País*, 10 de mayo de 1900. Por ser muy sintomático señalamos que el periódico, al reseñar el accidente, alude a la semejanza de éste con otro ocurrido en unas obras del Ministerio de Fomento unas semanas antes.

siete, en los establecimientos en que se empleasen motores hidráulicos o de vapor [30].

La ley había surgido al calor de las reformas democráticas y liberalizadoras de la Primera República española, pero nunca llegó a cumplirse porque, como hemos visto, las necesidades de la familia obrera estaban cubiertas escasamente con el jornal paterno y todos los jornales que ayudaban eran necesarios; por otro lado, los niños representaban una mano de obra más barata aún que las mujeres, y los patronos no podían pasar esto por alto a la hora de pensar en sus intereses. Por eso, no nos extraña que ante la Comisión de Reformas Sociales un informante denunciara expresamente la ineficacia de esta ley: «No se ha cumplido esta ley en todo ni en parte, y, lo que es más, no podía ni debía cumplirse. No se cumplen ni pueden cumplirse leyes circunstanciales nacidas en una situación pseudo-revolucionaria, que van contra los intereses de las clases dominantes... y no se cumplió ni pudo cumplirse, porque para que así sucediese sería preciso que el trabajador tuviese lo necesario para vivir sin tener que acudir a la limosna que en forma de exiguo jornal pueden aportarle el hijo y la mujer» [31].

Los niños y niñas que trabajaban en fábricas eran de siete años en adelante. Entraban como auxiliares y a las cuatro o seis semanas de haber hecho alguna práctica, empezaban a ganar una peseta semanal. A partir de ahí el jornal iba aumentando hasta llegar en la edad adulta a las 3 pesetas base.

Estos niños difícilmente podían recibir enseñanza primaria, por lo que llegaban a los 12 y 14 años sin saber leer ni escribir. Así, una de las comisiones encargada de inspeccionar las industrias madrileñas que antes hemos citado encontró una fábrica de papeles pintados en la calle de Canarias, donde «había diez o doce niños... ninguno de ellos había cumplido los catorce años y ninguno de ellos sabía leer y escribir» [32].

En la fábrica de vidrio antihigiénica, que antes citamos en la misma calle, «había 24 chicos menores de 18 años, de los

---

[30] *Comisión de Reformas Sociales,* II, pág. 174. La ley está reproducida en *Revista de Trabajo,* ant. cit., pág. 339.
[31] *Comisión de Reformas Sociales,* II, pág. 174.
[32] *El Socialista,* 18 de octubre de 1901.

cuales 16 no llegaban a los 14, y varios no habían cumplido ni los 11» [33].

Los niños, quizá más que los adultos, estaban expuestos a los accidentes de trabajo y así, no era extraño encontrar a un niño obrero herido «en una mano con una quemadura» o «en una pierna por un golpe de herramienta» [34].

Esta situación pareció que podía cambiar al cuajar la labor realizada informativamente por la Comisión de Reformas Sociales en una ley de protección a la infancia prohibiendo el trabajo de los niños y niñas menores el 30 de enero de 1900. Pero como sucede en innumerables ocasiones la ley prohibió que excepto en determinadas circunstancias los débiles trabajasen, pero las condiciones económicas y sociales que hacían posible esta injusticia no cambiaron y la situación se hizo aún más insostenible. En un periódico madrileño un comentarista semanal de actualidad, refiriéndose a las nuevas medidas legislativas decía que la ley era plausible, pero sólo faltaba en ella «un artículo mediante el cual el gobierno se comprometiera a mantener a los que obliga a holgar. Ni las mujeres ni los niños trabajan por gusto—terminaba diciendo—, y el que trabaja por necesidad cuando huelga se muere de hambre» [35].

Industria tipográfica

Vamos ahora a ver reflejadas las características anteriores en uno de los oficios del Madrid fin de siglo: la tipografía.

La difusión de la cultura en las grandes concentraciones urbanas fue creando a lo largo del siglo XIX unas necesidades de información, de transmisión de ideas y noticias que dieron lugar a la primera manifestación de cultura de masas: la Prensa. Como el nivel de alfabetización aumentó, se creó un mercado cada vez más numeroso de lectores que consumían fundamentalmente una Prensa diaria que informaba, polemizaba y transmitía ideas con una velocidad hasta entonces desconocida. La fe que los grandes ideólogos de este siglo tuvieron en la palabra es-

---

[33] *El Socialista,* 18 de octubre de 1901.
[34] *El Socialista,* 18 de octubre de 1901.
[35] *El País,* 20 de marzo de 1900. (El artículo es de un cronista que tenía una columna diaria, Alejandro Miquis.)

167

crita era enorme y su vehículo fundamental de comunicación fue la Prensa. Todo este movimiento desarrolló una industria antigua, artesana: la tipografía, que vino a ocupar un papel importante en este proceso de elaboración y transmisión. De su contacto con las letras creció entre los obreros de este oficio un espíritu, un interés, una inquietud que los capacitó intelectual y culturalmente muy por encima de su medio y de su ambiente. Los obreros tipógrafos eran la aristocracia de su clase, por eso fueron los primeros en enfrentarse con los problemas que planteaba «la cuestión social», en tomar conciencia de ellos, denunciarlos y participar activamente en la lucha por su solución. Por eso no es un hecho casual que algunos líderes de los partidos obreros de estos años salgan de la industria tipográfica.

En Madrid, a finales del siglo XIX, poner en circulación un periódico no debía de resultar muy difícil. Los diarios, las revistas y otros tipos de publicaciones periódicas aparecían y desaparecían como por ensalmo. Sólo en la ciudad había más de 100 imprentas particulares, aparte las del Estado. En cualquier sótano podía instalarse una máquina y lanzar un periódico a la calle en pocas horas. Ese era siempre el comienzo de una industria tipográfica, porque, salvo raras excepciones, la industria comenzaba siempre con un periódico. Muchos de estos periódicos, portavoces políticos movidos por los distintos vientos imperantes, tenían sólo unos meses de vida y luego desaparecían. Otras, eran publicaciones literarias que tenían también corta vida porque como aquella *Lumen* inventada por Baroja en *Silvestre Paradox* al cabo de «ocho o diez meses de lucha homérica» las embargaban los acreedores [36].

Había ciertas facilidades para instalar una imprenta; los útiles de trabajo podían adquirirse a plazos, por lo que para establecerse sólo se necesitaba contar con algunos ahorros para hacer frente a los primeros pagos y tener algún encargo de trabajo [37]. Así, no es extraño que Sánchez Gómez, el impresor del que nos habla Baroja en *Mala hierba,* con una sola prensa, movida por un motor de gas, de los antiguos, publicase «nueve periódicos, cuyos títulos nadie podría encontrar insignifican-

[36] *Aventuras, inventos y mixtificaciones de Silvestre Paradox,* O. C., II, 84.
[37] *Comisión de Reformas Sociales,* I, pág. 77.

tes. *Los Debates, El Porvenir, La Nación, La Tarde, El Radical, La Mañana, El Mundo, El Tiempo* y *La Prensa,* todos estos diarios importantes —nos dice— nacían en el sótano de la imprenta. A cualquier hombre vulgar le parecía esto imposible; para Sánchez Gómez, aquel Proteo de la tipografía, la palabra imposible no existía en el diccionario» [38].

El carácter artesano, casi doméstico, que podía tener el negocio nos lo pone de manifiesto también Baroja cuando añade que «cada periódico importante de éstos tenía una columna suya —de Sánchez Gómez—; y lo demás, información, artículos literarios, anuncios, folletín, noticias, era común a todos» [39].

Como en cualquier parte y con pocos medios podía instalarse una imprenta, era este oficio uno de los que reunía peores condiciones de instalación y salubridad, y esto tanto en los pequeños talleres como en los grandes, incluso en la Imprenta Nacional. Casi todas las imprentas, decía Pablo Iglesias en el Informe redactado para la Comisión de Reformas Sociales en nombre de la «Asociación del Arte de Imprimir», estaban instaladas en «locales reducidos, húmedos, insanos, faltos de ventilación y de luz, hasta el extremo de tener que emplear constantemente en algunos, en pleno día, alumbrado artificial» [40].

Es interesante consignar que esta descripción general que hace el líder del socialismo coincide con la literaria de Baroja, al que el político vio siempre con escasa simpatía y su partido a Baroja como a un patrón, enemigo de la clase obrera. Dice Baroja:

«Manuel miró; ni letrero, ni muestra, ni indicación de que aquello fuera una imprenta. Empujó Roberto una puertecilla y entraron en un sótano negro, iluminado por la puerta de un patio húmedo y sucio. Un tabique recién blanqueado, en donde se señalaban las huellas impresas de dedos y de manos enteras, dividía este sótano en dos compartimientos. Se amontonaban en el primero una porción de cosas polvorientas; en el otro, el interior, parecía barnizado de negro; una ventana lo iluminaba; cerca de ella arrancaba una escalera estrecha y resbaladiza, que desaparecía en el techo» [41].

---

[38] *Mala hierba,* O. C., I, 436.
[39] *Mala hierba,* O. C., I, 436.
[40] *Comisión de Reformas Sociales,* II, pág. 473.
[41] *Mala hierba,* O. C., I, 432.

Aunque esta imprenta editase periódicos totalmente ficticios, no cabe duda de que para describirla el novelista se inspiró directamente en la realidad de las imprentas madrileñas como vamos a ver a continuación.

De toda la documentación contenida en la información oral y escrita de la Comisión de Reformas Sociales la más abundante es la referente a tipografía madrileña. Entre los obreros socialistas había varios—recuérdese a Iglesias, Gómez Latorre—que pertenecían al oficio y a la hora de enterar a la opinión pública de las condiciones en que se desarrollaba su trabajo utilizaron la Comisión como plataforma política y participaron activamente, dejando una serie muy completa de datos sobre su funcionamiento.

La mayor parte de su información corresponde a imprentas de periódicos y también a la Imprenta Nacional, donde se tiraban entre otras publicaciones la *Gaceta* y el *Diario de Sesiones.*

Tenemos datos sobre casi todas las imprentas de periódicos:

La imprenta de *El Norte,* que en los años de la revolución de 1868 había estado instalada en una cuadra, había pasado después a «un sótano de dos metros de ancho, sin luz, con grietas por todas partes y con una fuente que mantenía constantemente la humedad en el suelo» [42]. *El País* parece ser estaba también instalado en una cuadra. *La Epoca,* que era periódico serio y respetable, con cierta antigüedad en su publicación, tenía la imprenta en una guardilla donde todos los obreros trabajaban hacinados. *El Globo* estaba instalado en otra cuadra. *El Progreso* tenía la imprenta primero en «un laberinto de pequeñas piezas completamente oscuras y sin ventilación» y pasó luego a instalarse en un sótano con las mismas condiciones que otros citados. *El Imparcial,* el periódico de mayor tirada y prestigio de toda la Prensa madrileña de la época, tenía la sala de cajas en «un patio cubierto con cristales deteriorados y ahumados que hacían que a todas horas fuera de noche, y cuando los cajistas,

---

[42] *Comisión de Reformas Sociales,* I, pág. 32. (*El Norte* era el portavoz de Romero Robledo y parece que el político conservador no desconocía aquellas condiciones, según aseguraba Gómez Latorre en su informe oral sobre la tipografía. Véase *Revista de Trabajo,* ant. cit., páginas 210-24.)

verdaderamente sofocados y asfixiados por las condiciones del local y del alumbrado, abrían aquellos balcones, se encontraban con las emanaciones de la estereotipia y con el calor que mantenía una caldera de vapor de la potencia que necesitaba la tirada de ese periódico» [43].

En cuanto a la Imprenta Nacional, las condiciones eran todavía peores que en las particulares. Parecerá extraño que una empresa estatal no reuniese las mínimas condiciones de salubridad, pero en el local de las cajas el techo se tocaba con las manos y había allí 30 ó 40 lámparas de petróleo, y unos treinta hombres trabajando, para confeccionar la *Gaceta* cuando había sesiones. A las cuatro de la tarde se encendían las luces y no tenían los cajistas más que el espacio indispensable para trabajar, permaneciendo en esa astmósfera irrespirable durante dieciséis y hasta dieciocho horas [44]. Como decía Gómez Latorre en su discurso, las condiciones de este establecimiento eran tales que no sabía cómo no se avergonzaban de ellas todos los gobernantes que se habían sucedido en España durante algunos años. Las jornadas de noche en estas condiciones eran especialmente insoportables. Baroja habla de la jornada nocturna de una imprenta, con una sola máquina, y dice que entre «el motor de gas y los quinqués de petróleo quedaba la atmósfera asfixiante» [45]. Imaginemos lo que debía de ser aquello con más máquinas y 30 ó 40 lámparas.

El obrero tipógrafo recibía un salario pequeño, que difería poco de los que ganaban los demás obreros y tenía una jornada igual o peor que la de otros oficios. Era el suyo una clase de trabajo que en muchos casos exigía un grado de especialización y conocimientos y no recibía una remuneración adecuada. Dentro de los distintos niveles del oficio estaba, por un lado el trabajo de caja y por otro el de máquinas. En el trabajo de caja el término medio del salario que percibían los tipógrafos no llegaba a 18 reales diarios. El trabajo de noche se pagaba en casi

---

[43] *Comisión de Reformas Sociales*, I, págs. 39-43. La información viene de la intervención de Matías G. Latorre, ant. cit. El tipógrafo socialista subraya cómo *El País* era el órgano de Topete; *El Globo,* el de Castelar; *La Epoca,* el del Marqués de Valdeiglesias, y tanto unos como otros, conociendo directamente las condiciones, nunca las denunciaron públicamente.

[44] *Comisión de Reformas Sociales*, I, pág. 40.

[45] *Mala hierba*, O. C., I, 434.

todas las imprentas lo mismo que el de día, o con un aumento muy pequeño, y la jornada de trabajo era aproximadamente de diez horas, con la excepción de los periódicos de la mañana, en que la jornada era más corta, aunque el trabajo era más agitado y continuo.

En la sección de máquinas estaba el trabajo de maquinista, que requería conocimientos especiales, responsabilidad; y solía pagarse entre 20 ó 24 reales. Después estaban los marcadores, que era una operación fácil de aprender, no exigía gran fuerza y se pagaba a unos 12 ó 14 reales diarios a los más hábiles y en las imprentas más solventes, porque en la mayor parte de ellas se cubría este puesto por seis, cuatro o dos reales diarios y lo desempeñaban incluso hasta niños de diez o doce años [46]. Esto debía de ser norma bastante general, como señala Pablo Iglesias y refleja Baroja, porque Manuel, cuando trabaja en la imprenta de la que hemos hablado antes, se emplea por la mañana en las cajas y por la noche en la máquina, sin duda marcando, y es un adolescente que ha llegado allí para aprender el oficio y el amo «le asigna seis reales de jornal al día» [47].

Por debajo de la categoría de marcador, en la sección de máquinas, estaba el mozo, auténtico subproletario del oficio tipográfico, que no requería ningún tipo de conocimiento técnico pero necesitaba una gran fuerza muscular y percibía la cantidad de diez reales diarios.

Industria panadera

Para los obreros panaderos la vida no era más fácil que para los tipógrafos; el oficio era uno de los más duros que existían y requería una resistencia orgánica especial, porque la jornada era muy larga y el trabajo agotador.

Baroja describe minuciosamente toda la actividad que un aprendiz de panadero desarrollaba desde que empezaba la jornada hasta que terminaba:

«En la tahona, para comenzar el aprendizaje, le pusieron en el horno, a ayudar al oficial de pala. El trabajo era superior a sus fuerzas. Se tenía que levantar a las once de la noche, y co-

[46] *Comisión de Reformas Sociales,* II, pág. 472.
[47] *Mala hierba,* O. C., I, 434.

menzaba por limpiar con una raedera unas latas de hierro, en donde se cocían bollos, pasándolas, después de frotadas, con una brocha untada en manteca derretida; hecho esto, ayudaba al oficial de pala a sacar la brasa del horno con un hierro; luego, mientras el hornero cocía, iba cogiendo tablas pesadísimas, cargadas de panecillos, y las llevaba del amasadero a la boca del horno; y cuando el oficial metía los panecillos dentro, volvía Manuel con las tablas al amasadero. A medida que el pan salía del horno, lo mojaba con un cepillo empapado en agua, para dar brillo a la corteza. A las once de la mañana se concluía el trabajo, y en los intervalos de trabajo Manuel y los trabajadores dormían.»

La jornada de trabajo en la panadería era entre quince y diecisiete horas y por realizar todo el trabajo anteriormente descrito nuestro aprendiz cobraba siete reales diarios y el esfuerzo resultaba tan penoso para él que no acostumbrado a «soportar el calor se mareaba y al mojar los panes recién cocidos se le quemaban los dedos» [48].

Igualmente duro era el trabajo para los oficiales que para el aprendiz. La mayor parte de los obreros de panadería eran gallegos, gente fuerte y resistente. Nuestro novelista los describe como bastante brutos y primarios.

Los locales que ocupaban los hornos y amasaderos de las panaderías no eran mejores que los de las imprentas. «La tahona ocupaba un sótano oscuro, triste y sucio—dice el novelista—. Estaba el piso del sótano por debajo del nivel de la calle, a la cual tenía unas ventanas con cristales tan oscurecidos por el polvo y las telarañas, que no dejaban pasar más que una luz turbia y amarillenta. A todas horas se trabajaba con gas» [49].

Las condiciones higiénicas no eran muy buenas, por eso no nos extraña que en una huelga de panaderos de la que luego hablaremos pidiesen los huelguistas más higiene en los obradores; como tampoco nos sorprende que el propio presidente del gremio de panaderos tuviese que pagar una fuerte multa porque su tahona de Bárbara de Braganza número 8 estuviese en malas condiciones de limpieza [50].

---

[48] *La busca,* O. C., I, 332-33.
[49] *La busca,* O. C., I, 332.
[50] *El Globo,* 18 de julio de 1899.

La falta de medidas de seguridad en el trabajo debía ser alarmante, a juzgar por los accidentes de operarios de tahona que hemos leído con mucha frecuencia en la Prensa:

«Fractura de la mano derecha producida con la máquina de amasar en una tahona de la calle de Fúcar número 18» [51].

«Operario cogido y destrozado por un volante del aparato motor en una tahona de la calle de San Juan número 46» [52].

«Fractura de dos dedos de la mano izquierda a un obrero de la tahona de la calle de Tesoro número 25» [53].

Además de los accidentes, había un peligro constante que amenazaba a los panaderos: las enfermedades producidas por la infiltración de harina en los pulmones. Las lesiones eran muy frecuentes. El doctor Verdes Montenegro examinó en cierta ocasión a todos los obreros de una tahona y sólo encontró uno entre ellos que no acusase lesión de pulmón [54]. El propio Baroja cuenta cómo Manuel, aprendiz de panadería, no podía dormir en el cuarto de los panaderos y se echaba en el suelo de la cocina del horno porque su cama estaba «al lado de la de un viejo, mozo de la tahona, enfermo de catarro crónico por la infiltración de harina en el pulmón, que gargajeaba a todas horas» [55].

Según sus propias palabras, Baroja decidió abandonar el negocio de panadería porque la situación económica estaba en crisis, a causa de la guerra de Cuba, no encontraba capital para lograr remontar su empresa y los beneficios no eran nada extraordinarios. Además añade «en aquella época los trabajadores madrileños comenzaron en todas las industrias a asociarse y a considerar como enemigo suyo al patrón» [56], lo que debía contribuir a disminuir también el negocio, aunque esto último no lo señale claramente. Pensamos que después de haber visto en los primeros capítulos de este trabajo cuál era la situación económica que atravesaba Madrid en estos años, y en general toda España, podemos creer a Baroja cuando nos dice que no ganó dinero con la panadería. Unos años más tarde, la situa-

---

[51] *El Globo,* 6 de octubre de 1899.
[52] *El Globo,* 19 de junio de 1899.
[53] *El Globo,* 6 de septiembre de 1899.
[54] Caso citado por M. MELGOSA, *op. cit.,* pág. 533.
[55] *La busca,* O. C., I, 333.
[56] *La formación psicológica de un escritor* (Discurso de ingreso en la Real Academia Española), O. C., V, 888.

ción que arrastraba la panadería en Madrid no era muy brillante, según Melgosa, al que ya conocemos como técnico en estas materias. Parece que la mayor parte de los fabricantes vivían al día, y muchos del crédito que les concedían los harineros[57]. Démos, pues, crédito a Baroja cuando nos cuenta «sus vejaciones de pequeño industrial»[58] pero no olvidemos que aún mayores eran las humillaciones por las que tenían que pasar los trabajadores de las panaderías, y que su unión distaba mucho por el momento de ser suficiente para acabar con ellas.

Los obreros panaderos, en efecto, debieron hacerse bastante fuertes con su asociación, como dice Baroja, porque en 1900 lograron promover una huelga en Madrid a la que arrastraron a 2.000 trabajadores que estuvieron manifestándose pacíficamente durante un mes largo: del 16 de julio al 19 de agosto de ese año[59].

Los manifestantes pedían que se les concediese aumento de jornal y trabajar en locales más higiénicos[60]. Ante las exigencias de los obreros los patronos se negaban a toda concesión con la disculpa de que tendrían que subir el precio del pan o cerrar las fábricas si atendían sus reclamaciones. Los trabajadores contestaban a este argumento demostrando que lo que ellos pedían sólo significaba una merma de menos de 5 pesetas en sus beneficios líquidos diarios, que eran de 50 pesetas. Ante el avance de la huelga el Gobierno, en vez de enfrentarse con el problema, se puso del lado de los patronos y sustituyó a los huelguistas por soldados en todas las tahonas donde se habían producido vacantes[61]. La huelga terminó con el triunfo de los patronos, que sólo transigieron por volver a admitir a los huelguistas en las mismas condiciones de antes.

Los efectos prácticos de la asociación debían ser más de orden moral y político que económico. En el plano de las reivindicaciones laborales estaba todo por hacer, la solidaridad obrera no era por el momento más que un caballo de batalla de

---

[57] M. MELGOSA, *op. cit.*, pág. 532.
[58] *Juventud, egolatría*, O. C., V, 202-03.
[59] *El Socialista*, 3 de agosto de 1900. La cifra tomada del periódico no está exagerada porque la corrobora igualmente la prensa burguesa, por ejemplo, *El Imparcial*, 27 de julio de 1900.
[60] *El País*, 17 de julio de 1900.
[61] *El País*, 17 de julio de 1900.

los partidos proletarios, pero los resultados eran todavía pequeños, como muy a su pesar reconocía *El Socialista,* sin abandonar su tono místico de lucha, sin desmoralizarse, al terminar la citada huelga panadera:

«Ha terminado la huelga de panaderos, volviendo a trabajar sin obtener ninguna de sus peticiones... Vuelven al trabajo en condiciones honrosas, sin más quebranto que los daños sufridos en un mes largo de huelga heroicamente sostenida sin tener de 2.000 hombres más que 10 traidores» [62].

---

[62] *El Socialista,* 24 de agosto de 1900.

Capítulo VIII

LA ACTIVIDAD POLITICA OBRERA
LOS ANARQUISTAS

Los anarquistas.—Las actividades anarquistas

En capítulos anteriores hemos ido viendo cuáles eran las circunstancias, condiciones y medios en que se desarrollaba la vida de las clases populares madrileñas en los años 80 y 90 del pasado siglo. Creemos que ha quedado suficientemente reflejada la pobreza, explotación, abandono y miseria en que transcurrían sus días. Hemos visto cómo el problema social que planteaba su integración en la vida urbana madrileña no estaba resuelto. Con la ayuda de Baroja hemos ido subiendo desde el submundo de los golfos, prostitutas y vagabundos de las afueras madrileñas al mundo del trabajo, al mundo de las largas jornadas laborales y los salarios escasos, y en este mundo hemos vislumbrado, por fin, una conciencia minoritaria, pero existente, del problema social.

En efecto, en los ambientes obreros del Madrid fin de siglo se empieza a plantear, todavía con carácter minoritario, lo que en aquel entonces se denominaba la cuestión social. Los obreros comienzan a tomar conciencia de que sólo puede lograrse una solución colectiva de sus problemas a través de los partidos políticos obreros. ¿Cuáles son estos partidos en los años de la Restauración? El partido anarquista y el socialista. Los primeros años de la Restauración monárquica son de clandestinidad y de acción oculta, pero a partir de 1887, con la Ley de Asociaciones que permite la formación de sindicatos obreros y la de 1890 estableciendo el sufragio universal, dichos partidos emergen a la luz del día. Su intervención en el juego político es en estos años prácticamente nula. Sólo entrado el siglo xx consigue el partido socialista tener representación en el Congreso de Diputados; mientras que los anarquistas nunca la tuvieron, porque desde un principio se negaron a participar en el juego electoral. La labor, pues, de estos partidos se concentró en formar una conciencia de clase entre las masas trabajadoras y un espíritu de solidaridad en la lucha contra la sociedad establecida.

Baroja, ateniéndose a la más exacta realidad social madrileña, en su trilogía *La lucha por la vida,* después de partir del mundo de los desheredados y pasar por el de los golfos y prostitutas, termina describiéndonos el mundo del trabajo madrileño y culmina esta descripción con la lucha obrera que en aquellos años se gestaba y realizaba. Por eso *Aurora roja,* última novela de la trilogía ya citada, es, como señala Blanco Aguinaga en su estudio sobre Baroja, «una de las primeras novelas políticas importantes en la historia de la literatura española» [1]. Novela política, no porque el tema haya sido elegido arbitrariamente por el autor, sino porque la política formaba parte de la realidad de la vida obrera madrileña y los diálogos, conversaciones y meditaciones de los trabajadores madrileños necesariamente tenían que hacer referencia a ella. En esa línea, *Aurora roja* lo que hace es plasmar las inquietudes políticas de las clases populares de Madrid y más específicamente las de los anarquistas madrileños de muy finales de siglo y principios del xx, ya que la acción de la novela termina en 1902 con la coronación de Alfonso XIII. El hilo conductor de esta historia será Manuel, quien convertido primero, en obrero cajista, y después en pequeño empresario de una imprenta, tiene ocasión de asistir desde un puesto de simple espectador, a veces muy poco neutral, a las luchas ideológicas y tácticas revolucionarias de un grupo de anarquistas. Junto a éstos aparecen en el fondo, desdibujados, los socialistas. Decimos desdibujados porque Baroja o los ignora o las pocas veces que los cita es como simples oponentes de las tesis ácratas, meros destinatarios, por tanto, de los ataques y sarcasmos que les dirigen los anarquistas. Antagonismo éste que aunque sólo abo-

---

[1] Carlos Blanco Aguinaga, *op. cit.,* págs. 229-90.

cetado debían comprender muy bien los lectores de 1904 a quienes la novela iba dirigida.

¿Por qué esta omisión barojiana de los socialistas? No podríamos dar una respuesta categórica. Tenemos dos hipótesis que consideramos parcialmente válidas, pero no definitivas: una, la poca simpatía que Baroja siempre sintió por el socialismo en su parte doctrinal y sobre todo por los hombres que seguían sus doctrinas[2] a quienes, por otra parte, debía considerar poco atrayentes como personajes literarios; otra, porque, quizá, como señala Julio Caro Baroja, la sociedad madrileña que hemos descrito «desamparada, abigarrada, violenta, trágica o grotesca según los casos, tenía que presentar como cara política una cara anarquista más que otra cosa»[3].

Junto a estos argumentos que tratan de explicar el olvido de los socialistas por Baroja debemos tener presente que el escritor, como creador, está en su perfecto derecho de interpretar la realidad, cercenándola de lo que en su opinión no tiene un peso específico, en este caso los socialistas. No obstante, no son justificables objetivamente los ataques y los sarcasmos arbitrarios que Baroja, desde las páginas de su novela, dirige a los socialistas en boca de sus personajes. Dichos ataques reflejan, sin duda, su particular punto de vista, pues coincide con el expresado en otros escritos suyos que no son novelescos, pero es en cierto modo lamentable que Baroja en lo tocante a los socialistas haya empobrecido y deformado la realidad que hasta entonces tan fielmente nos había reflejado.

Sin embargo, con una visión global del movimiento obrero de finales de siglo, quizá hayamos de dar parcialmente la razón a nuestro autor, ya que, como antes hemos dicho en palabras de Caro Baroja en el Madrid que hemos visto y conocido a través de este trabajo, tal vez era más posible una *Aurora roja* ácrata que socialista. Todos los desheredados y miserables podían esperar poco de los partidos políticos en el poder y de los partidos obreros activos; lo único en lo que podían creer quizá era en el anarquismo, porque les hablaba de una revolución inminente, que podía producirse como por sorpresa y en la que como había

---

[2] *Burguesía socialista. El tablado de Arlequín*, O. C., V, 14-17.
[3] Julio Caro Baroja: Prólogo de *La busca*, Madrid. Libro R.T.V., número 9, 1969, págs. 7-13.

afirmado uno de sus creadores, Bakunin, sólo los que nada tienen que perder —el Lumpemproletariat o los campesinos sin tierras— podían convertirse en verdaderos revolucionarios [4]. Sólo podía salvar a estos hombres la fe en la Idea, como ellos decían, ya que «el país, la sociedad, la ciudad misma producía golfos, hampones, descuideros, prostitutas, hombres desamparados, niños famélicos, de modo incontrolado. Ni la caridad mecánica de la Casa de la Doctrina, ni las organizaciones obreras, pequeñas todavía, ningún tipo de asociación benéfica o humanitaria podía remediar o paliar tanto desamparo» [5].

A la vista de lo anterior, nosotros, que seguimos a Baroja en nuestro estudio, debemos circunscribirnos a la actividad anarquista en Madrid tal como la describe él, ateniéndonos fundamentalmente a la novela *Aurora roja.*

Los anarquistas

Lo más interesante de la aportación barojiana sobre la actividad anarquista, no es lo meramente informativo, pues eso lo podemos encontrar en periódicos, folletos, libros, sino el testimonio sobre la psicología del anarquista plasmado en una serie de personajes literarios que debían ser muy parecidos a los tipos reales que por esos años vivían en Madrid, entregados a la propagación de las ideas ácratas. Creemos que ahí reside el principal interés de su aportación, porque otras opiniones suyas sobre anarquismo, más críticas o filosóficas, encerradas en ensayos o artículos, tienen la virtud de revelarnos la idea particular de Baroja sobre el anarquismo, dato importante para explicarnos la personalidad barojiana, pero no indispensable para comprender la sociedad de su tiempo. En *Aurora roja,* por el contrario, aunque Baroja no sabe prescindir totalmente de sus opiniones personales sobre el anarquismo y se inmiscuye demasiadas veces en el relato, comparte estas opiniones con las de los demás personajes y a lo largo de él nos va ofreciendo un panorama bastante completo de lo que debía ser en Madrid por aquellos años la lucha obrera.

---

[4] Cfr. G. D. H. Cole: *Historia del pensamiento socialista,* Méjico, Fondo de Cultura Económica, 3.ª ed., 1964, II, págs. 203-24.
[5] Julio Caro Baroja: Prólogo a *La busca,* ant. cit., pág. 11.

Veamos, pues, cómo son esos anarquistas de la narración barojiana y su correspondencia con la realidad. Manuel, personaje protagonista al que ya conocemos, empleado como cajista en una imprenta, conoce las actividades obreras a través de su contacto con los compañeros de trabajo. Manuel no está asociado, ni participa, pero eso no es obstáculo para que en las reuniones con amigos y parientes surjan conversaciones relacionadas con el tema y hable «de la imprenta y de las luchas de los obreros». Al empezar la novela, y hasta el final, Manuel es espectador de esta lucha y parece totalmente apolítico, aunque ello no es óbice para que a veces se encuentre atraído sentimentalmente por ella.

Su primera relación con el anarquismo se efectúa a través de un veterinario, amigo de sus vecinos, los Rebolledo, que asiste a las tertulias familiares que tienen lugar en el piso bajo de su casa. Este veterinario, el señor Canuto, «tipo raro, un tanto misántropo» [6], había sido en otro tiempo anarquista militante, pero hacía ya mucho que había abandonado sus actividades políticas. El anarquismo del señor Canuto era ya, en aquellos años muy finales de siglo, absolutamente inoperante, algo arcaico, que no lograba interesar a nadie. Tenía sus orígenes en los primeros brotes anarquistas españoles, pero había quemado sus esperanzas primero en Alcoy en 1873 y más tarde en las sucesivas represiones de la Restauración. El señor Canuto pertenecía a esos viejos militantes desgastados que conservaban en su mente todas las tradiciones anarquistas mitificadas. Se había quedado en Fourier y Proudhon, «apenas estaba enterado de las corrientes modernas», y «la fama de Kropotkine y Grave, cuyos libros no había leído, le parecía una usurpación».

Por esto sus ideas, teñidas de recuerdos personales, subjetivadas y mitificadas, no podían atraer a Manuel, que asistía a las luchas presentes, como tampoco lograrían interesar a los anarquistas militantes jóvenes que en una reunión le oyeron evocar sus recuerdos y hablar de la Internacional, de la escisión entre Marx y Bakunin, del levantamiento de Cartagena, de Pi y Margall, Fanelli, Salvochea, Mora... [7]. El señor Canuto viene así a representar algo que ya estaba superado por aquellos años en

---

[6] *Aurora roja*, O. C., I, 537.
[7] *Aurora roja*, O. C., I, 565.

el anarquismo y que enlaza directamente con los orígenes del movimiento en España.

Si las pláticas del veterinario no logran arrastrar a Manuel no pasará lo mismo con las reuniones anarquistas que empezarán a celebrarse en una taberna madrileña del barrio de Chamberí llamada «La Aurora». Las reuniones se organizan cuando Juan, hermano de Manuel y artista de talento, conoce a un pintor decorador, anarquista de ideas, que escribe para un periódico de esa ideología y se firma con el seudónimo de el *Libertario*. La amistad de Juan con el *Libertario* permitirá a Manuel conocer la conspiración política, en la que nunca llega a participar activamente, pero de la que no puede evitar su fascinación. «El mismo Manuel—dice Baroja—a pesar de su aburguesamiento, sintió el atractivo de aquella reunión, y al domingo siguiente estaba en «La Aurora» fraternizando con los compañeros»[8].

Los compañeros de «La Aurora» son todos anarquistas, pero cada uno representa, en cierto modo, una tendencia dentro del anarquismo militante. Los asistentes son obreros, estudiantes e intelectuales. Entre los obreros está un cajista, Jesús; uno que trabaja en el Tercer Depósito, el *Madrileño;* y otro, obrero catalán, Prats, que no se especifica a qué oficio pertenece. A estos obreros, bastante representativos de los oficios que en un principio integraron los partidos obreros españoles, tanto el anarquista como el socialista, habría que añadir un artesano zapatero de portal, el *Bolo.* Según dice James Joll en su estudio sobre el anarquismo, los primeros grupos que en España, tanto en Barcelona como Madrid, estudiaron y discutieron las ideas de Fournier y Proudhon estaban compuestos por «hombres de profesiones liberales, estudiantes y artesanos, la mayoría de éstos impresores y zapateros»[9].

A los estudiantes, en «La Aurora», los representaba César Maldonado, joven ambicioso que había tenido antes tendencias republicanas, y a las profesiones liberales Juan, escultor, y el *Libertario,* pintor y escritor a la vez.

En torno a estos hombres, que como hemos visto reflejan la extracción pequeño-burguesa y obrera, junto con el campesinado andaluz, que alimentó las filas del anarquismo español desde

---

[8] *Aurora roja,* O. C., I, 564.
[9] JAMES JOLL: *Los anarquistas,* Barcelona, Ediciones Grijalbo, 1968.

su nacimiento, se van aglutinando las distintas tendencias que el movimiento por aquellos años tenía. En el grupo se manifestaron pronto tres: la de Juan, la del *Libertario* y la del estudiante Maldonado, junto con una última representada por el *Madrileño* y Jesús. Conviene detenernos en su examen para comprender mejor los distintos matices.

Juan representaba el lado humanitario y artístico del anarquismo. No leía casi nunca libros anarquistas—nos dice el novelista—; sus obras favoritas eran las de Tolstoi y las de Ibsen. Los dos maestros inspiradores del artista nos dan ya la clave de su pensamiento. Para Juan el anarquismo era una religión que preconizaba una nueva moral individual y social basada en el amor, la libertad, la bondad y la supresión del principio de autoridad. Por eso en su discurso del mitin organizado en la novela habla de una manera bella, farragosa, poética e incomprensible, a la vez, de la anarquía. Trata de la liberación del hombre por el amor, de la cuestión social, no como una cuestión de jornales, sino de dignidad humana, de los golfillos abandonados, de los niños explotados, de las prostitutas, etc., hasta crear un clima en el que la multitud más que plantearse «la posibilidad o imposibilidad de las doctrinas» [10] se deja arrastrar por el inmenso sentimiento que había en ellas.

El *Libertario,* más intelectual que Juan, representaba la tendencia filosófica y crítica del movimiento. Dotado de un cierto grado de escepticismo sobre las posibilidades de realización del ideario anarquista, pero militando a pesar de ello en sus filas, tomaba del movimiento la parte que mejor cuajaba con su carácter individualista y crítico: «la protesta del individuo contra el Estado, lo demás, la cuestión económica, casi no le importaba,

---

[10] *Aurora roja,* O. C., I, 624. Es interesante resaltar que este aspecto literario del anarquismo era un fenómeno general europeo en los finales del XIX. Los intelectuales buscaban en el anarquismo, como muy bien señaló el profesor Pérez de la Dehesa, un sistema crítico para atacar a la sociedad establecida, pero muy pocos de ellos fueron anarquistas militantes porque en la acción su contradicción con la parte constructiva de la teoría era evidente. Por eso en Baroja es muy revelador que esta clase de anarquismo lo sostenga un escultor, Juan, y un escritor, el *Libertario.* Cfr. a este respecto y al de la relación de Ibsen y Tolstoi con el anarquismo español: FEDERICO URALES: *La evolución de la filosofía en España. Estudio preliminar* por RAFAEL PÉREZ DE LA DEHESA, Barcelona, Ediciones de Cultura Popular, 1968, págs. 34-63.

el problema para él estaba en poder librarse del yugo de la autoridad» [11].

De todos los anarquistas que desfilan por las páginas de *Aurora roja* es el *Libertario* el que actúa, habla, piensa con mayor rigor. Su tono irónico, su indiferencia aparente, su cultura, su conocimiento y análisis de la historia le sitúan muy por encima de sus compañeros de ideas. Es más que probable que entre los intelectuales filoanarquistas ese tipo debía darse. Su adhesión al anarquismo estaba basada en la idea de que era un sistema crítico que serviría de base para transformar los valores morales y religiosos y cambiar por completo las nociones de bien y mal, deber y virtud, al tiempo que uniría a los hombres por la voluntad, no por la fuerza de la Ley. Sus intervenciones en las reuniones y discusiones estaban siempre marcadas por estos principios.

«Yo... soy enemigo de todo compromiso y de toda asociación que no esté basada en la inclinación libre. ¿Vamos a comprometernos a una cosa y a resolver nuestras dudas por el voto?, ¿por la ley de las mayorías? Yo, por mi parte, no; si hay necesidad de comprometerse y de votar, no quiero pertenecer al grupo» [12].

Su falta de sentido de la realidad le lleva a rechazar toda cuestión práctica y su figura, por tanto, aparece a los ojos del lector como la de un intelectual que, desconfiando incluso de la masa [13], sigue a la idea pensando que «la anarquía—como diría otro personaje barojiano—no debía terminar en nada, ni tener más objeto que intranquilizar» [14] y sobre todo, destruir los valores establecidos. Es bastante sintomático que sea el *Libertario,* un escritor, el que sostenga estas ideas que eran muy semejantes a las que el propio Baroja tenía sobre el anarquismo y que en el fondo eran la rebelión individualista extrema contra la sociedad burguesa, como ya señaló Pérez de la Dehesa [15].

Estos personajes, tan distantes de los líderes anarquistas pos-

---

[11] *Aurora roja,* O. C., XI, 561.
[12] *Aurora roja,* O. C., I, 564.
[13] Esta desconfianza del *Libertario* por el pueblo está implícita en algunos pasajes de la novela, por ejemplo, en su conversación con Manuel antes de empezar el mitin anarquista sobre los espectadores, la masa que llena el teatro. Cfr. *Aurora roja,* O. C., I, 620.
[14] *La sensualidad pervertida,* O. C., II, 898-99.
[15] Cfr. F. URALES..., *op. cit.,* pág. 59.

teriores del año nueve o del sindicalismo, como de los precedentes implicados en las revueltas andaluzas o en la bomba del Liceo, debían sin duda darse en el Madrid de finales del xix, ya que según Baroja recordaría después en sus *Memorias,* afianzándonos más aún en la idea de la contradicción en que vivían estos intelectuales del partido a finales del siglo, «la anarquía de ese tiempo era cosa más literaria que política» [16].

Junto a estas dos tendencias estaban las del estudiante Maldonado, y la del *Madrileño* y Jesús. Maldonado «había figurado entre la juventud republicana» y aunque su tendencia parlamentaria era profundamente antipática a todos los partidarios de la asociación libre, tiene un valor representativo grande en un momento que como este que refleja don Pío en su novela se estaba produciendo un fenómeno de traspaso de gente de un partido que hasta la revolución de 1868 había figurado a la cabeza del progresismo, el partido republicano radical, hacia los partidos obreros: anarquista y socialista. A nuestro modo de ver, el mayor interés de la figura del estudiante Maldonado es que a través de ella Baroja nos da testimonio de un hecho histórico hoy sobradamente demostrado: el abandono del republicanismo por una parte de la masa del partido al producirse el fracaso político de la primera República española [17].

En este aspecto todavía mayor interés tiene el *Bolo,* zapatero, recién afiliado al anarquismo, que procediendo políticamente de los republicanos había ingresado primero en el socialismo y después «viendo el aspecto gubernamental que iba tomando poco a poco el socialismo en España, y, sobre todo, la lucha que se entablaba entre socialistas y republicanos, se separó de los socialistas considerándose ácrata» [18].

Estas dos figuras iluminan un proceso iniciado al caer la República y arrastrar en su caída las esperanzas de una parte de los republicanos federales «que empezaron a ver en el anarquismo un escape a la sensación de frustración que experimentaban» [19]. No olvidemos cómo uno de estos federalistas, Fermín

[16] *Galería de tipos de la época,* O. C., VII, 836.
[17] Cfr. José TERMES ARDEVOL: *El movimiento obrero en España. La primera Internacional (1864-1881),* Barcelona, Publicaciones de la Cátedra de Historia General de España, 1965.
[18] *Aurora roja,* O. C., I, 603.
[19] JAMES JOLL, *op. cit.,* pág. 217.

185

Salvochea, se convertiría en uno de los inspiradores del anarquismo andaluz de los años 80 y 90.

Baroja, como ya hemos dicho, nos deja constancia de este proceso de una manera directa, tomada de la realidad madrileña de esos años con las figuras de Maldonado y el *Bolo*. El *Bolo* especialmente, de más edad que Maldonado, más profundamente republicano de espíritu, a pesar de ser ácrata, no olvidaba sus orígenes y «no podía acostumbrarse a oír a los compañeros tratar sin consideración intelectual a hombres como Salmerón y Ruiz Zorrilla, que habían sido siempre sus ídolos» [20].

A partir de la Restauración de Cánovas el movimiento obrero español, aun trabajando en la clandestinidad, trató de atraerse las simpatías de estos republicanos radicales desilusionados de la República. Cuando en 1889 suben los liberales al poder y las actividades del movimiento se empiezan a realizar más abiertamente, comienzan las campañas del socialismo y del anarquismo para atraerse a las masas obreras y para diferenciarse del partido radical republicano que hasta entonces había sido el único que podía interesarlas en su acción y postulados. A este respecto los ataques de la Prensa socialista son constantes.

«La campaña que venimos haciendo—leemos en *El Socialista*—para que la clase obrera escuchando la voz de sus intereses abandone las filas de los que le venden engañosa protección y falsa amistad... está dando excelentes resultados. Dícenos esto, no solamente los claros que nuestros compañeros van dejando en los partidos republicanos, sino el coraje y la inquina que contra nosotros se ha despertado en sus órganos... [21].

Los socialistas y anarquistas incitarán a la masa obrera a apartarse de las ideas republicanas y al mismo tiempo tratarán de ganarse a los disidentes del partido. Por eso, durante los años fin de siglo, uno de los objetivos comunes a ambos partidos obreros será el que ya había sido caballo de batalla del partido republicano: la supresión de la cuota en el servicio militar, que beneficiaba a los poderosos y obligaba a ir a la milicia a los pobres. Al replantearse de nuevo con la guerra de Cuba toda la injusticia de la institución militar de la «cuota», los partidos

---

[20] *Aurora roja*, O. C., I, 603-04.
[21] *El Socialista*, 18 de junio de 1886.

obreros lucharán por su abolición y se harán eco de viejos objetivos frustrados:

«El comité nacional del partido socialista obrero ha dirigido un manifiesto a sus correligionarios y a todos los trabajadores acerca del servicio militar... Lamenta que el Gobierno no haya manifestado el propósito formal de que en caso de guerra irán a ella pobres y ricos y excita a los obreros a que emprendan activa campaña para que no se envíe a la Isla de Cuba ni un soldado más» [22].

Por eso el *Bolo* no podía perdonar a los socialistas que hubieran quitado «toda la masa obrera al partido republicano, inutilizándolo, quizá para siempre, solo con el calificativo de partido burgués» [23].

Si los personajes citados nos dan la medida de lo que debió de ser en aquellos años la actividad obrerista y sus realizaciones más tempranas, Jesús y el *Madrileño,* otros dos anarquistas asistentes a las reuniones de «La Aurora», van a dejarnos entrever algo de lo que por esos mismos años era «el anarquismo del arroyo», que dice Baroja, el que representaba la protesta de los miserables y los abandonados. «Predicaban éstos la destrucción, sin idea filosófica fija, y su tendencia cambiaba de aspecto a cada instante, y tan pronto era liberal como reaccionaria» dice el autor [24].

No es una casualidad, creemos, sino una prueba más del certero instinto sociológico de Baroja el que los dos genuinos representantes de este anarquismo destructivo sean dos obreros, uno del Tercer Depósito, y otro cajista; salidos los dos del pueblo y uno de ellos, Jesús, del fondo más miserable de esas corralas y casas de vecindad que hemos estudiado, con una trayectoria vital que va desde la golfería hasta el robo, pasando por el alcoholismo. Es decir, Jesús, a pesar de su calidad de obrero, y de obrero ilustrado, puesto que es tipógrafo, nunca llega a abandonar del todo su vida de golfería y vagabundeo y vuelve a ella después de cada salida violenta del mundo del trabajo, bien sea por cansancio o por falta de voluntad. Su anarquismo es absolutamente apasionado y sentimental, y aunque

---

[22] *El Imparcial,* 14 de enero de 1898.
[23] *Aurora roja,* O. C., I, 603.
[24] *Aurora roja,* O. C., I, 565.

sentido crítico no le falta, pues es el primero en ir creando una conciencia social en Manuel ante los problemas que juntos padecen, tampoco es su crítica coherente, sino caótica y llena de sentimiento. Sus deseos se confunden y se hacen imperiosos, esperando ver producirse el cambio como por sorpresa, sin que una acción previa lo prepare. Jesús es en este sentido hermano espiritual de los jornaleros andaluces que por esos mismos años esperaban la llegada de la revolución como el santo advenimiento [25]. Su anarquismo dimana de unas condiciones reales en las que ha vivido y trabajado.

Es anarquista desde que «ha visto las infamias que se cometen en el mundo, desde que ha visto cómo se entrega friamente a la muerte un pedazo de la Humanidad; desde que ha visto cómo mueren desamparados los hombres en las calles y los hospitales» [26].

Su idea de la revolución sería parecida a la que Juan expresaba en un diálogo con su hermano Manuel:

«Sería una aurora sangrienta en donde a la luz de los incendios crujirá el viejo edificio social, sustentado en la ignominia y en el privilegio, y no quedaría de él ni ruinas, ni cenizas, y sólo un recuerdo de desprecio por la vida abyecta de nuestros miserables días.

Sería el barro negro de las Injurias y de las Cambroneras, que ahogaría a los ricos, la venganza justa contra las clases directoras, que hacían del Estado una policía para salvar sus intereses, obtenidos por el robo y la explotación, que hacían del Estado un medio de calmar a tiros el hambre de los desesperados» [27].

Este sentimiento de destrucción, tan identificado con el anarquismo que ha llegado a ser un lugar común de su doctrina, aunque sólo era una parte de ella, era el aspecto que mejor podía prender entre los desheredados de las Cambroneras o las Injurias madrileñas. Era el pensamiento que podía expresar mejor que nadie Jesús, con su vida desdichada en corralas y casas de dormir, y el *Madrileño,* del que Baroja nos habla menos, pero del que, sin embargo, nos dice que su modelo de anarquista

[25] Cfr. JUAN DÍAZ DEL MORAL: *Historia de las agitaciones campesinas andaluzas,* Madrid, Alianza Editorial, 1967.

[26] *Mala hierba,* O. C., I, 516.

[27] *Aurora roja,* O. C., I, 641.

«era *Pini* el estafador, y le encantaba que unos ladrones hubiesen dado dinero a Juan Grave». Era el sentimiento de rebeldía del pueblo, confuso, ambiguo, que enlazaba por un lado con el anarquismo y por otro con formas primitivas de rebelión como el bandolerismo social, que también ha sabido relacionar Hobsbawn en su estudio sobre los *Rebeldes primitivos* [28].

Era el sentimiento de los desgraciados que antes de comprender que la solidaridad con su clase puede conducir a un cambio, sienten en su interior una cólera contra la sociedad y contra los hombres que los impulsa a desear destruir violentamente, y sin pensar de qué manera, el orden existente. Es el sentimiento de destrucción presente en personajes importantes del anarquismo, con un gran ascendiente entre las masas que se identifican con ellos.

Las actividades anarquistas

Del bosquejo de las tendencias y la psicología anarquista pasa Baroja a describirnos una serie de actividades que ocupan a los anarquistas. La primera de estas actividades es la de reunirse «para hablar, para discutir, para prestarnos libros, para hacer la propaganda» [29].

Estas reuniones son a modo de seminarios populares donde cada uno de los militantes va exponiendo sus puntos de vista. La reunión está basada en la libertad de asistir o no, sin que medie ningún compromiso, incluso en el momento de realizar algo conjunta o individualmente «cada uno hará lo que su conciencia le dicte» [30]. Inspiradas en este principio, las reuniones tienen lugar todos los domingos en la taberna «La Aurora» y «todos los domingos aumentaba el número de adeptos. Unos contagiados por otros iban llegando... y crecía el grupo anarquista libremente, como una mancha de hierba en una calle solitaria» [31].

Las conversaciones pasan de la discusión acalorada sobre la anarquía y sus fines a la evocación de las acciones y mártires

---

[28] Eric J. Hobsbawm, *op. cit.*
[29] *Aurora roja*, O. C., V, 564.
[30] *Aurora roja*, O. C., I, 564.
[31] *Aurora roja*, O. C., I, 588.

del anarquismo: Angiolillo, Pallás, la bomba del Liceo, Salvador, y de ello va desprendiéndose ese culto a la personalidad, a los hombres, no sólo a las ideas, que era también característico del anarquismo de esos tiempos. «Aparecía en todos ellos, saliendo a la superficie, su fondo de meridionales, su admiración por el valor, su entusiasmo por la frase rotunda y el gesto gallardo» [32].

Aparte del culto a la personalidad, las discusiones tocan todos los temas claves de la acción revolucionaria de aquellos años: tesis anarquistas de la acción directa y de la no participación política contra la socialista de participación política desde un partido obrero, colectivismo contra centralismo, individuo contra Estado, espiritualismo contra materialismo, etc. A estos problemas de la polémica que por aquellos años oponía a los anarquistas o ácratas contra los socialistas, autoritarios, o más irónicamente «karlistas» de todo el mundo, se añaden aquí los problemas típicamente nacionales como es el de catalanismo, representado por el anarquista Prats. En estas discusiones y conversaciones, acompañadas de largos paseos por Madrid, va saliendo toda la historia de la polémica obrerista en España, que puede verse reflejada con más precisión en otras fuentes menos literarias como El Socialista o la Revista Blanca.

En el plano de la acción los anarquistas del relato barojiano emprenden dos obras: la organización de un mitin en Barbieri y la preparación de una conjura revolucionaria para el día de la coronación de Alfonso XIII que nunca llega a realizarse. El mitin de Barbieri tiene todas las trazas de haber sido tomado directamente de la realidad. Para empezar, de todos los teatros y salas que solían alquilarse para estos actos públicos, el Barbieri era uno de los que hemos encontrado en la Prensa citado con mayor frecuencia [33]. El propio novelista nos cuenta cómo en su juventud durante muchos días estuvo impresionado «por lo que dijeron varios obreros, la mayoría andaluces, en un mitin anarquista del Liceo Rius, de la calle de Atocha» [34]. Baroja, sin duda, debió de asistir más de una vez a estos actos políticos y su espíritu de cronista fidedigno queda patente al elegir en su novela el Barbieri para el mitin anarquista, porque tanto éste

---

[32] *Aurora roja*, O. C., I, 588.
[33] Así, por ejemplo, *El País*, 1 de mayo de 1900, habla de un mitin de albañiles celebrado en el teatro Barbieri.
[34] *Familia, infancia y juventud*, O. C., VII, 595.

como el citado por él de la calle de Atocha número 68 aparecen en la Prensa celebrando reuniones obreras.

La capacidad de observación de Baroja, atenta a los discursos que tienen lugar en el mitin, nos aproxima enormemente a lo que debían ser la mayoría de esos actos políticos. Del orador zapatero pausado, aburrido, y documentado en su discurso, al tejero con instinto destructivo que odiaba a los intelectuales, pasando por el carpintero racionalista que colocaba todo su ímpetu en combatir la Biblia, hasta llegar a la exaltación humanitaria de Juan, tenemos todos los matices y expresiones de lo que eran en esencia cada una de estas reuniones. Hay un gran paralelo con las que por esos mismos años se celebraban en el propio Barbieri, en el Liceo Rius, en el Teatro Martín, o en el Frontón Central y que con tanta meticulosidad reproducía la Prensa obrera, fundamentalmente *El Socialista*. Al espíritu detallista de Baroja debemos el habernos dejado un relato literario de todo ello en el que hasta el lenguaje de los obreros oradores está captado en toda su espontaneidad y variedad.

El otro acto que los anarquistas preparan para el día de la coronación resulta fallido y nunca llega a producirse: la comitiva real atraviesa las calles madrileñas sin que se produzca ningún incidente, como esperaban los anarquistas en la credulidad de que había un complot organizado a nivel internacional contra el rey. La única víctima del día de la coronación es el señor Canuto, el viejo militante, que en un acto de rebeldía se niega a quitarse el sombrero ante la bandera. Los guardias, instigados por un teniente, arremeten contra él a sablazos causándole una conmoción cerebral.

La novela acaba con las amargas palabras de Manuel y el *Libertario* sobre la imposibilidad de liberar al hombre colectivamente. Juan, el apóstol del anarquismo, el visionario, que quería un mundo más feliz a través de la anarquía, muere, y ante su tumba el *Libertario,* después de realizar un elogio fúnebre del compañero desaparecido, se despide diciendo «Ahora, compañeros, volvamos a nuestras casas a seguir trabajando» [35].

La esperanza de seguir trabajando, de seguir luchando por la Idea era, creemos, la única esperanza para los anarquistas en esos años de 1902, tras haber trabajado en la clandestinidad,

---

[35] *Aurora roja*, O. C., I, 655.

pasado la represión de los sucesos de la «Mano Negra» y del proceso de Monjuich. Todavía están lejos los sucesos de Barcelona de 1909 que volverían a darles la fuerza en la calle y en las masas.

Así, en este sentido de trabajo, de insistencia en la lucha por la propagación de la idea se expresaba Juan Grave en un artículo publicado un año antes que los sucesos del relato barojiano tuvieran lugar:

«Desgraciadamente hasta ahora no se ha hecho nada para llevar a los campos la propaganda de nuestro ideal. Este se ha localizado en las grandes ciudades, olvidando que los campesinos, cuya acción en la revolución futura pueda aniquilar las fuerzas del proletariado industrial, necesitan conocer nuestro ideal para tenerlos de nuestro lado el día de las grandes reivindicaciones.

Los socialistas ingleses, más prácticos que nosotros en este caso, aunque también menos perseguidos, han dado con el modo de llevar su propaganda a los pueblos y aldeas...»[36].

---

[36] JUAN GRAVE: «La anarquía. Su fin y sus medios», *La Revista Blanca*, 1 de febrero de 1901, núm. 63, págs. 458-60. El artículo insiste y enumera muchos medios posibles para llegar a las masas campesinas.

CONCLUSIONES

Hemos llegado, por el momento, al final de nuestro trabajo, y ahora es cuando cumple preguntarse si hemos logrado nuestros objetivos iniciales de demostrar que Baroja ha dejado en «sus libros una documentación exacta y fundamental»—en frase de Marañón—sobre el Madrid de su tiempo.

A lo largo de las páginas de este estudio hemos ido comparando los datos de Baroja con los que hemos encontrado en otras fuentes, y resumiendo el total de nuestros hallazgos podríamos sentar las siguientes conclusiones.

1. En todo lo referente a infraestructura urbana, servicios públicos, instituciones de beneficencia, caridad y vivienda, los datos del novelista se ajustan a la más estricta realidad madrileña de los años que estudiamos. Recuérdense todos los ejemplos sacados a colación en estas páginas: los traperos de Baroja y los descritos por Hauser o por el entonces director del Laboratorio Municipal, César Chicote; los hospitales barojianos del *Arbol de la ciencia* y la noticia de Prensa en la que las enfermas de San Juan de Dios pedían la destitución del médico que las maltrataba; el pauperismo madrileño, las instituciones de beneficencia que pretendían ponerle remedio, las noticias de los periódicos aludiendo a los diarios comensales de los comedores y asilos de la Caridad y los vagabundos, pobres y harapientos que circulan por las novelas barojianas; las viviendas trogloditas, las chozas suburbanas, las casas de vecindad de las descripciones madrileñas del novelista donostiarra y su conexión

193

con los testimonios escritos y gráficos que presentamos en el capítulo correspondiente.

2. En lo que respecta a las descripciones de Baroja de los grupos sociales, sustrato de sus novelas, creemos que la fidelidad con su original difícilmente puede ser controvertida.

Es de resaltar, en lo referente a prostitución, que la exactitud de los datos barojianos la hemos confrontado con testimonios de personas tan expertas y documentadas en la materia como fueron el doctor Navarro Fernández, médico del Hospital de San Juan de Dios, y don Rafael Eslava, jefe de la Sección de Higiene de la Diputación Provincial de Madrid.

En cuanto a los golfos y delincuentes no hemos encontrado ningún testimonio que rechace las versiones barojianas de estos seres marginados y sí creemos que varios que lo corroboran, como ya queda señalado en el capítulo correspondiente.

Sobre los trabajadores, nada ha logrado reafirmar más nuestras hipótesis que el paralelismo entre los datos presentados a la Comisión de Reformas Sociales por obreros de distintos oficios y los que teníamos de Baroja. Esta veracidad del novelista en la descripción de los trabajadores quizá nadie ha sabido expresarla mejor que Margarita Nelken, quien en un artículo escrito en 1918 a raíz de la publicación de las *Páginas escogidas* de Baroja dijera que nadie había hablado «de los obreros, de los vencidos y de los ex hombres con más conocimiento; en sus obras son ellos los que hablan y se imponen, lo que vibra son sus ideas, sus costumbres, sus entusiasmos, sus credulidades y sus odios; toda la bajeza que hay en su envidia de las clases superiores y todo lo que hay de grande en sus instintos. Ni buenos ni malos: verídicos. ¡Qué lejos estamos en esta verdad de las protestas literarias a lo Mirbeau y de los anatemas literarios a lo Zola!»[1].

Es necesario, pues, concluir que las narraciones de nuestro autor pueden ser consideradas como fiel testimonio

---

[1] MARGARITA NELKEN: «Sobre Pío Baroja», *Hermes*, Bilbao, 1918, número 25, pág. 141.

de los grupos sociales que se describen en las mismas, si bien su testimonio no es comprensivo de todos los grupos de la sociedad madrileña, pues, como es sabido, en las novelas objeto de nuestro estudio apenas si se hace referencia a la alta y media burguesía de la época.

Su obra, por consiguiente, no da una visión total de la sociedad de su tiempo—lo que no es censurable en un novelista—, sino de ciertos aspectos de esta sociedad, los que él ha elegido y querido resaltar.

3. Si bien Baroja puede ser tomado como cronista fidedigno de todos los aspectos a los que más arriba nos hemos referido, no sucede lo mismo con lo referente a la actividad política de las clases trabajadoras en el Madrid finisecular. A este respecto, es de lamentar su omisión y parcialidad respecto a los socialistas, que formaban el partido político con más ancha base popular en el Madrid de esos años. En nuestra opinión, Baroja, lejos de ser objetivo con los socialistas, da rienda suelta a su subjetivismo, cubriéndolos de sarcasmos e ironías.

En cuanto a los anarquistas, su análisis se basa más en sus características individuales y psicológicas—que describe con magistral veracidad—que en su capacidad como grupo para transformar colectivamente la sociedad. Creemos que en el fondo se infiltran aquí las teorías personales de Baroja sobre cualquier actividad colectiva, su calidad de espectador neutral se pierde y en su lugar aparece don Pío Baroja, escritor, perteneciente a la clase intelectual española que en esos años de crisis que estudiamos vive dramáticamente las contradicciones de su filosofía y su moral social tratando en vano de conciliar, como ha señalado Sender, «su desesperado amor de la libertad con su angustiosa necesidad de orden. Difícil síntesis que la generación del 98 no entendió...» [2].

---

[2] RAMÓN SENDER: *Pío Baroja y su obra,* Cuadernos del Congreso por la libertad de la Cultura, París, enero-febrero 1957. (Véase en F. BAEZA, *op. cit.,* II, págs. 339-43.)

BIBLIOGRAFIA

Obras de BAROJA, PÍO: *Obras completas*, Madrid, Biblioteca Nueva, 1946, 8 vols. Por orden cronológico de publicación:

— *Vidas sombrías*, O. C., VI.
— *Aventuras, inventos y mixtificaciones de Silvestre Paradox*, O. C., II.
— *Camino de perfección*, O. C., VI.
— *La busca*, O. C., I.
— *Mala hierba*, O. C., I.
— *Aurora roja*, O. C., I.
— *El tablado de Arlequín*, O. C., V.
— *César o nada*, O. C., II.
— *El árbol de la ciencia*, O. C., II.
— *Juventud, egolatría*, O. C., V.
— *La sensualidad pervertida*, O. C. II.
— *Las noches del Buen Retiro*, O. C., VI.
— *La formación psicológica de un escritor*, O. C., V.
— *Vitrina pintoresca*, O. C., V.
— *El escritor según él y según los críticos*, O. C., VII.
— *Familia, infancia y juventud*, O. C., VII.
— *Final del siglo XIX y principios del XX*, O. C., VII.
— *Galería de tipos de la época*, O. C., VII.
— *Reportajes*, O. C., VII.

Escritos inéditos:

Hojas sueltas, Madrid, Editorial Caro Raggio, 1973, 2 vols. Prólogo y notas de don Luis Urrutia Salaverri.

Ensayos y estudios sobre Pío Baroja:

Sólo se mencionan los libros que han sido citados en este trabajo y que no aparecen en la obra homenaje a Baroja, dirigida por F. Baeza, por haber sido publicados posteriormente:

BAEZA, FERNANDO: *Baroja y su mundo*, Madrid, Ediciones Arion, 1961, 3 vols. Prólogo de Pedro Laín Entralgo.

197

BLANCO AGUINAGA, CARLOS: *Juventud del 98,* Madrid, Siglo veintiuno de España, editores, 1970.

PUÉRTOLAS, SOLEDAD: *El Madrid de «La lucha por la vida»,* Madrid, Editorial Helios, 1971.

CARO BAROJA, JULIO: *Los Baroja,* Madrid, Taurus, 1972.

ESPAÑA 1885-1902

AGOSTINI BANÚS, E.: *Historia de la muy afable, muy leal y muy antigua ciudad de Almodóvar del Campo,* Almodóvar del Campo, 1926.

ANÉS, GONZALO: *Las crisis agrarias en la España moderna,* Madrid, Taurus, 1970.

CARR, RAYMOND: *España 1808-1939,* Barcelona, Ariel, 1969.

ERIC J. HOBSBAWM: *Rebeldes primitivos,* Barcelona, Ariel, 1968.

FARINÓS DELHOU, FULGENCIO: *Mayo de 1898.* Apuntes sobre los sucesos ocurridos en Talavera de la Reina en los días 2 y 3 del expresado mes (Talavera de la Reina), Imp. y Encuadernación de L. Rubalcaba, 1898.

J. NADAL: *La población española,* Barcelona, 1966.

ROMÉU, FERNANDA: *Las clases trabajadoras en España (1898-1930),* Madrid, Taurus, 1970.

SÁNCHEZ ALBORNOZ, NICOLÁS: *España hace un siglo: una economía dual,* Barcelona, Ediciones Península, 1968.

TUÑÓN DE LARA, MANUEL: *La España del siglo XIX,* París, Librería Española, 1968, 2.ª ed.

UBIETO REGLÁ, JOVER: *Introducción a la Historia de España,* Barcelona, Teide, 1963, 1.ª ed.

CAPITULO I

Apuntes de Madrid. Guía de sus más notables instituciones y edificios de beneficencia, sanidad, administración, enseñanza, ciencias y artes. Madrid, 1883.

Bibliografía de Madrid y su provincia, por JOSÉ LUIS OLIVA ESCRIBANO. Artículos de publicaciones periódicas. Madrid, I. E. M., C. S. I. C., tomo II, 1969.

CAPELLA, MIGUEL: *La industria en Madrid,* Madrid, 1962, 2 vols.

CHICOTE, CÉSAR: *Reorganización del servicio de la limpieza de Madrid,* Madrid, 1906.

Disposición de don José Abascal y Carredano, alcalde de esta villa, sobre reforma de los desagües de las edificaciones de esta capital para que desaparezca una de las causas más principales de la excesiva mortalidad de esta población, Madrid, 1889.

DORADO, FACUNDO: *Madrid,* Madrid, 1907.

HAUSER, PHILIPH: *Madrid bajo el punto de vista médico-social,* Madrid, 1902, 2 vols.

LOZA Y COLLADO, EMILIO: *El servicio del agua en Madrid,* Madrid, 1903.

Madrid. Higiene. Demografía. Cultura. Guía oficial del IX Congreso Internacional de Higiene y Demografía. Madrid, 1898.

REVENGA, RICARDO: *La muerte en Madrid,* Madrid, 1901.

Sainz de Robles, Federico: *Historia y estampas de la vida de Madrid,* Madrid, Iberia, 1933, 2 vols.

Valverde, Emilio: *Plano y guía del viajero en Madrid,* Madrid, 1885.

CAPITULO II

Comisión de Reformas Sociales. Tomo I: «Información oral practicada en virtud de la Real Orden de 5 de diciembre de 1883». Madrid, Publicación oficial, 1889.

Francos Rodríguez, José: *Las subsistencias. Carnes y alimentos. Sustitutivos de consumos e impuestos municipales,* Madrid, 1910.

Melgosa Olaechea, Miguel: *Las subsistencias en Madrid,* Madrid, 1909.

Taboada, Luis de: *Crónicas alegres de 1900,* Madrid, 1901.

CAPITULO III

Bravo Ramírez y A. León Peralta: *Escasez, carestía e higiene de la vivienda en Madrid. Medios al alcance de los Ayuntamientos,* Madrid, 1926.

R. Collins y Carlos Flores: *Arturo Soria y la Ciudad Lineal,* Madrid, Editorial Revista de Occidente, 1968.

Comisión de Reformas Sociales. Tomo II: «Información escrita. Madrid», Madrid, 1890.

Chicote, César: *La vivienda insalubre en Madrid,* Madrid, Imprenta Municipal, 1914.

J. López Sallaberry y Francisco Andrés Octavio: *Memoria del proyecto sobre reforma de la prolongación de la calle de Preciados y enlace de la plaza del Callao con la calle de Alcalá,* Madrid, 1901.

López Silva, José: *Los barrios bajos,* Madrid, 1894.

Núñez Granés, Pedro: *Proyecto para la urbanización del extrarradio de dicha villa,* Madrid, 1910.

Romero, Domingo: *Contribución al estudio del problema de la vivienda en Madrid,* Madrid, 1935.

CAPITULO IV

Bordíu, José: *Memoria sobre la mendicidad en Madrid,* Madrid, 1924.

Contrata de suministros de garbanzos para las Casas de Socorro de la capital, Madrid, 1905.

Contrata de suministros de pan a los asilos de San Bernardino, Madrid, 1905.

Contrata de suministros de carne, tocino y garbanzos para las Casas de Socorro de la capital, Madrid, 1909, 1912 y 1915.

Fatero, Juan: *Guía de sus más notables instituciones y edificios de beneficencia, sanidad, etc.,* Madrid, 1883.

García Molinas, Francisco: *La mendicidad en Madrid. Sus causas y sus remedios,* Madrid, 1916.

Lasbennes, Luis: *Mortalidad de Madrid comparada con la de las demás capitales de Europa,* Madrid, 1912.

López Piñero, García Ballester y Faus Sevilla: *Medicina y sociedad en la España del siglo XIX*, Madrid, Sociedad de Estudios y Publicaciones, 1964.

LUNA, MANUEL: *La caridad en Madrid, o sea, guía de pobres y de bienhechores en el conocimiento de las instituciones de caridad y de beneficencia existentes en Madrid*, Madrid, 1907.

SEPÚLVEDA, ENRIQUE: *La vida en Madrid en 1888*, Madrid, 1889.

SOCIEDAD ESPAÑOLA DE HIGIENE: *Estudio de las aguas que surten a Madrid y precauciones que deben adoptarse con las destinadas al concurso de las poblaciones en tiempo de epidemia*, Madrid, 1897.

VICENTI, EDUARDO: *La caridad en Madrid. Guía de establecimientos benéficos*, Madrid, 1906.

CAPITULO V

CASTILLO ESTREMERAS: *Un día de guardia en San Juan de Dios*, Madrid, 1900.

ESLAVA, RAFAEL G.: *La prostitución en Madrid. Apuntes para un estudio sociológico*, Madrid, Vicente Rico, 1900.

GONZÁLEZ FRAGOSO: *La prostitución en las grandes ciudades*, Madrid, 1887.

NAVARRO FERNÁNDEZ, ANTONIO: *La prostitución en la villa de Madrid*, Madrid, Imprenta de Ricardo Rojas, 1909.

SULLEROT, EVELYNE: *Historia y sociología del trabajo femenino*, Barcelona, Ediciones Península, 1968.

CAPITULO VI

BERNALDO DE QUIRÓS Y LLANAS AGUILANIEDO, JOSÉ MARÍA: *La mala vida en Madrid*. Estudio psicosociológico con dibujos y fotografías del natural, Madrid, Rodríguez Serra, 1901.

CUESTA Y SÁNCHEZ, PATRICIO: *La cárcel de Madrid*, Madrid, 1885.

GIL MAESTRE: *Los malhechores de Madrid*, Gerona, 1889.

LÓPEZ ARROJO, LUCIO: *Criminalidad en Madrid. Profilaxis. Relaciones con la Beneficencia Municipal*, Madrid, s. f.

SALILLAS, RAFAEL: *El lenguaje, estudio filológico, psicológico y sociológico*, Madrid, 1896.

CAPITULO VII

Comisión de Reformas Sociales. Tomo I: «Información oral», 1889.

Comisión de Reformas Sociales. Tomo II: «Información escrita», 1890.

CAPITULO VIII

Actas de los Consejos y Comisión Federal de la Región Española (1870-1874). Transcripción y estudio preliminar por CARLOS SECO SERRANO. Barcelona, 1969, 2 vols.

G. D. H. COLE: *Historia del pensamiento socialista*, Méjico, Fondo de Cultura Económica, 1964, II, 3.ª ed.

Díaz del Moral, Juan: *Historia de las agitaciones campesinas andaluzas*, Madrid, Alianza Editorial, 1967.

Joll, James: *Los anarquistas*, Barcelona, Ediciones Grijalbo, 1968.

Lamberet, Renée: *Mouvements ouvriers et socialistes. Chronologie et bibliographie. L'Espagne (1750-1936)*, París, Editions Ouvrieres, 1953.

Lorenzo, César: *Les anarchistes espagnols et le pouvoir*, Editions du Seuil, 1969.

Martí, Casimiro: *Orígenes del anarquismo en Barcelona*, Barcelona, Teide, 1959.

Termes Ardevol, José: *El movimiento obrero en España. La primera Internacional (1864-1881)*, Barcelona, Publicaciones de la cátedra de Historia General de España, 1965.

Urales, Federico: *La evolución de la filosofía en España*. Estudio preliminar de R. Pérez de la Dehesa. Barcelona, Ediciones de Cultura Popular, 1968.

PERIODICOS CONSULTADOS

La Correspondencia de España (1895-1900).
El Globo (1885-1902).
El Heraldo de Madrid (1898-1900).
El Imparcial (1885-1902).
El País (1885-1902).
El Socialista (1886-1902).

REVISTAS

Hermes, Bilbao, núm. 25, 1918. Artículo de Margarita Nelken: «Sobre Baroja», págs. 135-43.

La Idea Libre, Madrid (1894-1899).

Indice, núms. 70 y 71, diciembre-enero 1953-1954. «Homenaje a Pío Baroja».

Nuestro Tiempo, Madrid (1902).

Nuevo Mundo, núm. 661, 6 de septiembre de 1906. «El barrio de las Injurias». Núm. 1.136, 15 de octubre de 1915. «Los aduares de Madrid».

La Revista Blanca, Madrid (1898-1901).

Revista de Occidente, núm. 62, 2.ª época, mayo 1968. «Homenaje a Pío Baroja».

Revista de Trabajo, núm. 25, 1969. «Comisión de Reformas Sociales: Información oral y escrita sobre el estado y las necesidades de la clase obrera (1884-1889)». Selección y notas de María del Carmen Iglesias y Antonio Elorza, págs. 161-492.

Triunfo, núm. 466, 8 de mayo de 1971. Artículo de Alfonso Sastre: «La busca».

INDICE